D0410005

afgeschreven

Kapitein Kwadraat en de pechpiraat

www.uitgeverijholland.nl
www.saskiahalfmouw.nl

Peter Smit

Kapitein Kwadraat en de pechpiraat

Uitgeverij Holland - Haarlem

Dit boek kan gekozen worden door de Kinderjury 2013

Omslag en illustraties: Saskia Halfmouw
Omslagtypografie: Ingrid Joustra

ISBN 9789025111755
NUR 282

Hoofdstuk 1
Samenkomst op het strand

Jonas beet zijn tanden op elkaar en sleepte zijn voeten door het rulle zand. Nog een geluk dat het niet warm is, dacht hij. Hij zette zijn plunjezak op de grond en keek om. Zou die vreemde kerel nog steeds achter hem aanlopen? Jonas volgde zijn voetsporen terug, tot aan de duintop achter hem. Gelukkig was daar niemand te zien. Zou die kerel hem al die tijd gevolgd hebben? Of moest hij toevallig ook aan deze kant van het eiland zijn? Jonas gooide zijn plunjezak weer over zijn schouder en sjouwde verder naar boven. Eenmaal op de top van het duin zag hij in de vallei beneden het glinsterende water van Dodemanskisten.

Ik ben er bijna, wist Jonas. Achter het volgende duin ligt mijn schip te wachten. Hij dacht aan de kok en de matrozen. Zou iedereen weer meevaren? Dat kapitein Kwadraat er weer bij zou zijn, wist hij zeker. Jonas voelde met zijn vrije hand aan de binnenzak van zijn zeemansjack. Daar zat de brief, die hij een week eerder van een koerier te paard had gekregen. Het was een vriendelijke brief, met een uitnodiging om mee te reizen naar Afrika. En onder de brief stond de handtekening van kapitein Kwadraat.

Jonas glimlachte. Nog even, dacht hij, en dan zie ik de goede kapitein Kwadraat weer. De man die mij zoveel voorspoed heeft gebracht. Jonas haalde diep adem en wilde naar de volgende duintop lopen. Maar eerst keek hij nog even achter zich. Zijn hart sloeg over en hij voelde de haren in zijn nek omhoog komen. Want daar stond, boven op de vorige duintop, de grote donkere gestalte die hem al vanaf het midden van het vasteland aan het achtervolgen was... Jonas voelde zijn benen trillen. Wie was die kerel toch? Wat moest hij van hem? Hij had verhalen gehoord van kapiteins, die geen matrozen konden vinden omdat ze wreed en gemeen waren. Die moesten soms jongens ontvoeren omdat ze anders niet uit konden varen. Als je eenmaal aan boord van zo'n schip was moest je gehoorzamen, anders werd je overboord gegooid. Hij had ook gehoord van kapiteins die gevaarlijke reizen maakten, zoals naar de ijsbergen van de Noordpool. Die konden vaak ook geen matrozen vinden. En dan waren er nóg veel ergere kapiteins. Kapiteins die van plan waren om zeerover te worden. Als die je te pakken kregen, betekende dat zeker je einde. Deed je niet wat ze vroegen, dan werd je met je oren aan het dek gespijkerd. En deed je het wel, dan was je een zeerover en die werden zwaar gestraft als ze gepakt werden.

Jonas keek schichtig om. De duistere gedaante liep met grote stappen het duin af. Jonas voelde dat de schrik zich van hem meester maakte. Hij kon niet meer denken en holde zo snel zijn benen hem konden dragen naar beneden. Niet omkijken, spookte het door zijn hoofd. Naar het schip! Snel! Sneller!

Bij het meertje dat Dodemanskisten genoemd werd, was de grond gelukkig steviger. Jonas schoot als een haas langs het glasheldere water en was al gauw bij de voet van het laatste duin. Hoe hij boven kwam wist hij niet meer, maar het lukte hem. Hijgend stak hij het duin over.

Laat het schip er zijn, smeekte hij. Laat het schip vlak voor het strand voor anker liggen, alsjeblieft, alsjeblieft. Terwijl hij naar de rand van de duintop liep, voelde hij nieuwe paniek in zich opkomen. Waar was de mast? Hij zou de mast van De Zilveren Nul toch moeten zien? Waar... Zodra Jonas de zee kon zien, zonk de moed hem in de schoenen. Geen schip! De Zilveren Nul was er niet! Met bonzend hart liep hij naar een plek waar hij uitzicht kreeg op het strand. Gelukkig... Jonas voelde de angst en de paniek uit zijn lichaam wegstromen. Op het strand beneden hem stonden mannen. Mannen die hij uit duizenden zou herkennen. Hij zag de eeuwige zeurpiet Baltus Baltus, de jonge matroos Krijn Haring, de oude Lommert Knoest en meester Eibokken, de barbier met het grote hoofd en de getatoeëerde snor. Verderop stond nog een groepje zeelieden, tussen wie hij het ronde hoofd van IJsbrandt de kok bespeurde. Jonas haalde opgelucht adem. Hij vergat de man die hem een hele dag lang op de hielen had gezeten en liep met grote stappen het duin af.

'Hé Jonas,' snerpte de schelle stem van Krijn. 'Kom je weer meevaren!'

'Hij die geluk brengt reist met ons,' zei Baltus Baltus plechtig. 'Door Jonas is onze vorige reis goed afgelopen. Wij zijn gezegend, mannen.'

Zodra Jonas vlakbij was, staken de matrozen hun handen naar hem uit. Hij schudde ze, soms twee tegelijk, en voelde dat hij links en rechts op zijn schouders werd geklopt. Toen hij bij meester Eibokken kwam, tilde die hem de lucht in, draaide een rondje om zijn as en riep: 'Je raadt nooit waar we heengaan, Jonas!'

Jonas verstijfde. Meester Eibokken merkte het en zette hem gauw op het strand terug.

'Maar Jonas,' vroeg hij ongerust, 'wat is er?'

'Daar... die vent...' stamelde Jonas, terwijl hij met grote ogen naar de duintop keek.

De matrozen volgden zijn blik. Even was het doodstil en

keek iedereen naar de grote, donkere gestalte die met trage stappen naar het strand afdaalde. Toen maakte Baltus Baltus een paar kreunende geluiden en mompelde: 'Nee hè. Zeg dat het niet waar is.'
'Ik zou het graag willen,' zei Lommert Knoest. 'Maar dan zou ik liegen en dat doe ik niet. Laten we het onder ogen zien, mannen. Gijsbert Dirkson komt eraan. En ik denk dat hij mee wil varen.'
'Barrels,' zei Krijn. 'En ik had er net zo'n zin in.'
IJsbrandt de kok zei niets, maar aan zijn sombere blik kon Jonas eenvoudig afzien dat dit een fikse tegenvaller was.
Meester Eibokken kuchte. 'Dit gaat zo niet, mannen,' zei hij met gedempte stem. 'We moeten Gijsbert een kans geven. Als we straks met ruzie aan boord gaan, zal de reis zeker mislukken. Vergeet wat er gebeurd is en gedraag je fatsoenlijk. Ik doe het woord wel, laat dat maar aan mij over. Afgesproken?'

Weer was het even het stil. Toen mompelden de matrozen achter elkaar dat het afgesproken was en draaiden de hoofden naar de man die over het brede strand naar hen toe kwam lopen.
Jonas keek. Gedachten spookten door zijn hoofd. Gijsbert Dirkson? Hij had die naam weleens gehoord. Maar waar het over ging, wist hij niet meer. Toen hij dichterbij kwam zag hij dat Gijsbert Dirkson een lang gezicht had, met lichtblauwe ogen en witte wenkbrauwen. Hij had dunne lippen en een brede kin met in het midden een witte plek. Op zijn hoofd droeg hij een zwarte muts. Hier en daar zag Jonas er een blonde haarlok onderuit pieken. Al met al leek hij heel gewoon. Ik ben voor niets bang geweest, dacht hij. De man moest hier toevallig ook zijn. Maar waarom hadden de anderen zo'n hekel aan hem?

Even later begreep Jonas het maar al te goed. Gijsbert Dirkson zette zijn plunjezak op het strand en keek hem spottend aan.
'Deed je het in je broek, krummel? Ik zag je wel telkens schichtig omkijken, hoor. Dacht je dat ik je aan het achtervolgen was? Haha, je had jezelf eens moeten zien rennen. Net een kip in doodsnood, hahaha!'
Niemand lachte mee, maar dat leek Gijsbert Dirkson koud te laten. Hij keek meester Eibokken brutaal aan en vroeg hoe het nu met hem ging.
'Goed,' zei meester Eibokken. 'Maar ben je hierheen gelopen om dat te vragen?'
'Ik hoorde dat jullie na je laatste reis goed verdiend hebben,' zei Gijsbert Dirkson met een schuin lachje. 'Dus ik dacht dat ik het maar weer eens een keertje met je moest proberen. Je hebt tenslotte nog wat goed te maken.'

'Je doelt op je tatoeage?' vroeg meester Eibokken.

Toen wist Jonas het weer. Gijsbert Dirkson was de matroos die met ruzie van boord was gegaan en niet meer wilde meevaren. Dat gebeurde omdat hij voor straf een tatoeage van een rekensom op zijn rug moest krijgen. Meester Eibokken had per ongeluk een fout in de rekensom gemaakt, maar een tatoeage gaat nooit meer weg. Hij moest er daarom een kruis overheen tatoeëren en de som verbeteren, wat natuurlijk een heel stom gezicht was...

'Ja, ik doel op mijn tatoeage,' zei Gijsbert Dirkson op lijzige toon. 'Waar anders op?'

Het werd stil op het strand.

'Daar moeten we mee naar Afrika,' hoorde Jonas achter zich mompelen. 'Nou, daar zijn we mooi klaar mee.'

'Maar als ik vragen mag,' zei Gijsbert Dirkson, 'waar is het schip eigenlijk? En die Kwadraat, waar hangt die uit?'

'Onze goede kapitein Kwadraat is eergisteren naar Bremerhaven gezeild. Hij moest daar iets ophalen en hoopt vanmiddag hier terug te zijn.'

Gijsbert Dirkson keek spottend.

'Onze *goede* kapitein Kwadraat,' herhaalde hij. 'Tjongejonge zeg: onze goede kapitein Kwadraat. Of je een emmer leegstort.'

Hij schudde zijn hoofd en keek naar de horizon.

'Over emmers gesproken,' zei hij. 'Ik geloof dat er daar een aankomt.'

Later die middag lag het schip De Zilveren Nul vlak voor het strand en werd er een roeibootje overboord gehesen. Jonas herkende de twee mannen, die langs de touwladder in het bootje klommen, uit duizenden. Het waren kapitein Kwadraat en matroos Jabik Veenbaas. Terwijl Jabik naar het

strand zwaaide en vervolgens de roeiriemen beetpakte, leek kapitein Kwadraat alleen maar aandacht te hebben voor iets dat hij in zijn hand hield.
'Hij heeft weer wat,' mompelde Baltus Baltus. 'Wedden?'
Lommert Knoest schudde zijn hoofd. ''t Zal mij benieuwen,' zei hij, 'waar hij nu weer mee aankomt. En waarom gaan we eigenlijk naar Afrika, weet iemand dat?'
'Om goud te halen natuurlijk,' zei Gijsbert Dirkson. 'Waarom anders? We gaan twee keer zoveel goud halen als op die vorige reis van jullie.'
De matrozen keken Gijsbert aan. Lommert Knoest haalde zijn schouders op.
'Afwachten,' zei hij. 'Jonas, trek je schoenen uit en stroop je broekspijpen op. Dan slepen we het bootje van onze goede kapitein even door de branding.'
Bij de woorden 'goede kapitein' sprak Lommert met opzet overdreven luid. Baltus Baltus glimlachte.
'Zal ik ook even helpen om ONZE GOEDE KAPITEIN naar het strand te trekken?' bood hij aan.
'Hoeft niet, Baltus,' antwoordde Lommert. 'Jonas en ik redden dat samen makkelijk. ONZE GOEDE KAPITEIN is namelijk niet heel groot en ook niet heel dik.'
Terwijl Lommert en Jonas door de branding heen naar het bootje plonsden, mopperde Lommert op de man die zojuist van het duin naar beneden was gestapt. 'Nou, dat wordt weer een hoop gedoe,' hoorde Jonas hem zachtjes zeggen. Daarna draaide Lommert zich naar Jonas.
'Jonas,' zei hij, 'ik wil je niet tegen Dirkson opzetten, maar houd hem in de gaten. Hij lokt je uit en als je erin trapt, staat hij stiekem te lachen en zit jij met de gebakken peren.'
'Maar waarom neemt de kapitein hem dan mee?' vroeg Jonas.

Lommert zuchtte. 'Dat is iets van onze kapitein,' zei hij. 'Die vindt dat je iemand altijd een kans moet geven. Ook al doe je het tien keer niet goed, als je de elfde keer zegt dat je echt beter je best zal doen geeft hij je weer een kans. Gijsbert Dirkson heeft dat door. Niemand wil met hem varen, helemaal niemand, behalve kapitein Kwadraat. Nou, opletten jongen. We zijn er bijna.'

Jonas zag dat het bootje vlakbij was. Lommert deed een paar snelle stappen naar voren en pakte het eindje touw beet dat over de boeg in het water hing.

'Ik heb hem, kapitein,' zei hij luid. 'Jabik, stop met roeien en hou je goed vast!'

De grote matroos die achter de kapitein in het bootje zat trok zijn roeiriemen binnenboord en stak zijn hand op.

'Gegroet, Lommert! Ha die Jonas! Vaar je weer met ons mee?'

Jonas glimlachte toen hij zag dat Jabik naar hem knipoogde. Hij keek vol verwachting naar kapitein Kwadraat, maar die had alleen maar oog voor iets wat hij in de palm van zijn hand had.

Jabik maakte een verontschuldigend gebaar en haalde zijn schouders op.

'Iets nieuws,' zei hij. 'Uit Bremerhaven. Een zandloper, maar dan anders.'

Jonas keek nieuwsgierig naar de kapitein, maar Lommert gaf hem een por.

'Trekken Jonas,' zei hij, terwijl hij het touw aangaf. 'Anders slaat het bootje om. We moeten het zo snel mogelijk door de branding trekken. Een, twee, nu!'

Even later trokken Jonas en Lommert de roeiboot het strand op. Jabik stapte uit, maar kapitein Kwadraat bleef zitten en leek niets te merken van waar hij was en wie er om

hem heen stonden. Jabik wilde juist iets zeggen toen hij Gijsbert Dirkson in het oog kreeg. Zijn mond klapte dicht en tussen zijn wenkbrauwen kwam een diepe rimpel.
'Kijk eens wie we daar hebben,' zei hij langzaam. Toen keek kapitein Kwadraat plotseling op. Even leek hij in verwarring. Meteen daarna stak hij zijn hand omhoog en liet hij een rond zilveren doosje zien, dat aan een gouden ketting hing.
'Dit,' zei hij plechtig, 'is iets nieuws. Mannen, jullie zijn de eersten in Holland die dit onder ogen krijgen. Het is namelijk een geheel nieuwe uitvinding. Het heet horloge en het meet de tijd. Jullie weten nog hoe ik mijn zandloper ben kwijtgeraakt op het eiland van de Gouden Man.'*
Alle matrozen bromden instemmend, behalve Gijsbert Dirkson. Die stak zijn hand op. 'Daar was ik helaas niet bij, heer kapitein.'

* Zie: *Op Avontuur met Kapitein Kwadraat*

Kapitein Kwadraat keek naar Gijsbert en knikte kort.
'Dag Gijsbert, ik zie dat je er weer bent, ondanks dat ik je geen brief heb gestuurd.'
'Uw nieuwe reis is in alle havens het gesprek van de dag, edele heer kapitein,' zei Gijsbert Dirkson snel. 'Toen ik ervan hoorde, besloot ik direct om te vragen of Uwe edele mij nog éénmaal vergiffenis zou willen schenken. Vergiffenis voor mijn onbehoorlijke gedrag. En een kans om Uwe edele te tonen dat ik vast van plan ben om mijn leven werkelijk te beteren.'

'Gaan we weer,' hoorde Jonas naast zich mompelen. 'Wedden dat hij er weer intrapt?'
Jonas keek naar kapitein Kwadraat. Die keek ontstemd. Even leek het erop dat hij Gijsbert weg zou sturen. Toen streek hij met zijn hand over zijn sikje, knikte langzaam en zei: 'Nou, akkoord dan. Welkom aan boord, Gijsbert. Dat het voor allen een goede reis mag worden.'
'Permissie kapitein,' zei Jabik Veenbaas. 'Maar we moeten inderdaad aan boord gaan, en snel ook. Als het eb is, kan het schip niet meer over de zandbank heen en moeten we hier tot morgenvroeg blijven liggen.'
Kapitein Kwadraat knikte. Vervolgens hield hij met een brede glimlach het horloge weer omhoog.
'Mannen,' zei hij, 'hierop kan ik zien hoeveel tijd we nog hebben voor het eb is. Dat duurt namelijk nog precies... een uur en dertig minuten. Er kunnen per keer vier man met het bootje overgezet worden en we zijn hier met zestien man op het strand. Jonas, hoeveel is zestien gedeeld door vier?'
Jonas rekende: 4 x 4 = 16, wist hij. Dus is 16 gedeeld door 4...
'Vier kapitein,' zei hij.
Kapitein Kwadraat knikte goedkeurend. 'Dus heeft Jabik

Veenbaas gelijk als hij zegt dat we moeten opschieten. Komaan mannen, vooruit! Jabik, jij roeit heen en weer. De eerste vier instappen! Lommert, Baltus, IJsbrandt en Gijsbert!'

Het duurde nog een flinke tijd voor iedereen aan boord was. Jonas, Krijn, meester Eibokken en kapitein Kwadraat stapten als laatsten bij Jabik in het bootje. Aan boord van De Zilveren Nul waren Baltus Baltus en Lommert Knoest al druk in de weer met de zeilen en de touwen. Zodra ze aan boord stapten werden de zeilen gehesen, terwijl andere matrozen het anker ophaalden.
'Precies op tijd,' zei de bootsman, toen het schip met bollende zeilen de zandbank overstak. De stuurman knikte.
'Zoals gewoonlijk,' mompelde hij. Bij de grote mast klapte kapitein Kwadraat in zijn handen.
'Verzamelen mannen! IJsbrandt, breng kroezen bier rond. We gaan drinken op een goede vaart!'
Toen ieder een kroes bier had, liet kapitein Kwadraat zijn beker vol wijn schenken. Daarna tilde hij de beker de lucht in.
'We gaan naar Afrika mannen,' zei hij. 'We hebben een eervolle opdracht gekregen.'
Gijsbert Dirkson knikte. 'Goud halen,' zei hij.
'Goud halen?' Kapitein Kwadraat keek hem bevreemd aan. 'We gaan geen goud halen, hoe kom je daarbij?'
'Nou, zilver halen dan,' zei Gijsbert.
'We gaan ook geen zilver halen. Mannen, voordat er misverstanden komen: dit wordt geen reis waarmee we heel veel geld gaan verdienen. Jullie krijgen goed betaald, daarover hoeven jullie je geen zorgen te maken. We gaan naar Afrika in opdracht van een rijke koopman. Hij heet Vingboons en wil in Amsterdam een dierentuin beginnen. Koopman

Vingboons heeft mij gevraagd om in Afrika allerlei wilde dieren te kopen en die mee naar Holland te nemen. Apen, zebra's, papegaaien, herten en als het kan twee leeuwen, maar dat mogen ook luipaarden zijn. In het ruim staan stevige kooien, dus jullie hoeven niet bang te zijn om op de terugreis opgegeten te worden.'

'Wat gaan we nu krijgen,' riep Gijsbert Dirkson verontwaardigd. 'Op de vorige reis hebben jullie zonder mij zakken met geld verdiend. En als ik dan weer meevaar, gaan we zeker voor een grijpstuiver apen vangen! Dat is geen stijl! Als dit waar is, wil ik van dit stomme schip af! Meteen!'

Even kon je bij de grote mast een speld horen vallen. De matrozen keken elkaar eerst verbaasd aan. Zo praatte je toch niet tegen je kapitein? Daarna begonnen er een paar stiekem te lachen. Die vonden het blijkbaar leuk dat Gijsbert Dirkson van het schip af wilde.

Kapitein Kwadraat keek naar de stuurman. 'Kunnen we Gijsbert aan land zetten als we bij het eiland Texel varen?'

De stuurman knikte. Meteen daarna kwam uit het kraaiennest bovenin de grote mast de stem van Jabik Veenbaas.

'Ahoi kapitein! Zwarte wolken aan de horizon! Zwaar weer op komst!'

Hoofdstuk 2
Onweer en Sint-Elmusvuur

Beneden aan dek was nog niets van slecht weer te zien. Er stond een lichte bries, de zon scheen en hier en daar zweefde een schapenwolkje aan de blauwe hemel. Het was goed zeilweer. Maar kapitein Kwadraat was een goede kapitein. Hij wist dat Jabik Veenbaas een ervaren matroos was, ook al was hij soms dwars en opstandig. Hij liet onmiddellijk het grootzeil naar beneden halen, gaf opdracht om alles aan dek stevig vast te sjorren en riep dat iedereen de taak moest doen die hij op de vorige reis ook gedaan had.
Voor Jonas was dat een tegenvaller. Op de vorige reis was hij de hulp van IJsbrandt de kok geweest. Terug in de thuishaven was hem beloofd dat hij leerling-stuurman mocht worden omdat hij zo goed kon rekenen. Jonas had zich daar erg op verheugd. Hij had er ook wel over opgeschept, tegen zijn vrienden en de buurjongens. Stuurmansleerling! Dan zou hij stuurman worden, als hij goed zijn best deed! En daarna... misschien... kapitein! En nu moest hij opeens weer uien snijden en spekjes braden.
Hij keek naar de lucht, die hemelsblauw was. Hij keek naar de meeuwen en naar de kust van het eiland dat aan bakboord in de zon lag. Zwaar weer, dacht Jonas. Waar dan? Toen werd hij bij zijn arm gepakt en keek hij in het ronde gezicht van IJsbrandt.
'Opschieten Jonas,' zei de kok. 'We moeten snel iets maken, zodat de mannen wat in hun maag hebben als straks het noodweer losbarst. Brood en kaas, want voor soep zullen we denk ik geen tijd meer hebben.'

IJsbrandt keek somber naar de horizon, waar een zwarte streep te zien was. Een streep die snel dikker werd en dichterbij kwam.

In de kombuis sneed Jonas twee broden in dikke sneden en besmeerde ze met boter. IJsbrandt was intussen druk bezig met het afsnijden van plakken kaas. Toen Jonas klaar was, deed hij de boterhammen en de kaasplakken in een mand en liep hij het dek op om ze uit te delen.

Zodra hij buitenkwam, knipperde hij verbaasd met zijn ogen. Wat was dit? Het leek wel avond! Jonas keek omhoog en zag dat er een reusachtige, inktzwarte wolk recht boven het schip hing. Het was windstil. De zeilen hingen slap naar beneden en de zee was spiegelglad. Links en rechts hoorde hij onderdrukt gesteun en andere geluiden van mannen die zich tot het uiterste inspanden om hun werk op tijd af te hebben. Verder was er niets te horen. De zee was spiegelglad en maakte geen geluid. Zelfs de meeuwen leken met stomheid geslagen. Meeuwen? Jonas keek naar de masten van het schip. Gewoonlijk zag je daar troepen meeuwen, als je vlak bij land zeilde. Nu was er geen meeuw te zien. Jonas voelde opeens een beklemmend gevoel op zijn borst. Er is iets helemaal niet goed, besefte hij. Hij haalde diep adem. Wat moest hij doen? Snel brood uitdelen, bedacht hij opeens. Snel brood uitdelen, zodat iedereen nog kan eten. Hij haastte zich naar de stuurhut. Daar waren de kapitein, de stuurman, de bootsman en de barbier. Ze zaten om de tafel en keken bezorgd. Toen Jonas even draalde, kreeg hij van de bootsman meteen een uitbrander.

'Wat sta je? Opschieten! Brood uitdelen.'

Jonas haastte zich naar buiten. Hij ging de matrozen langs en deelde eten uit. Als laatste klom hij in de grote mast.

Daar zat, hoog boven het schip, Jabik Veenbaas in het kraaiennest. Terwijl hij langs de touwladder omhoog klom, herinnerde Jonas zich weer de eerste keer dat hij in de mast moest klimmen. Wat was hij bang geweest!
En nu klim ik fluitend naar boven, dacht Jonas. Maar toen hij omhoog keek en recht boven zijn hoofd de duistere wolkenlucht zag, sloeg de schrik hem om het hart. Het leek of de donderwolken naar beneden waren gezakt! Ze leken vlak boven de mast te hangen! Even overwoog Jonas om als een haas naar beneden te klauteren. Toen dacht hij aan Jabik, die hoog in de mast op de uitkijk stond. Jabik moest wat eten, voor het noodweer losbarstte.
Jonas zoog zijn longen vol lucht en klom het laatste stukje. Jabik hield zijn handen voor zijn gezicht.
'Jabik!' riep Jonas. 'Jabik, wat is er?'
'De reuzenhand,' kreunde Jabik met bevende stem. 'De harige reuzenhand die uit de zwarte wolken komt om matrozen uit hun kraaiennesten te plukken. De ijskoude hand van de Magere! Wee mij, wee mij!'
'Ik zie geen hand,' zei Jonas. 'Ik zie alleen donkere wolken. En ik heb brood met kaas voor je meegenomen.'
Ondertussen keek Jonas schuin omhoog. Toen hij zag hoe vreselijk dichtbij de duistere donderwolken waren, schrok hij opnieuw. Maar hij beheerste zich, al kostte het moeite.
'Je moet brood met kaas eten, orders van de kapitein,' zei hij zo kalm als hij kon. 'Want we krijgen storm en die kan wel eens dagen duren.'
Meteen daarna dreunde er recht boven hem een razende donderklap, die zo hard was dat Jonas zijn oren voelde suizen. Hij zakte door zijn knieën en greep zich vast aan de spijlen van het kraaiennest. Geen moment te vroeg, want terwijl de klap nog nagalmde kwam met grote vaart een

enorme golf naderbij. Jonas merkte dat het schip plotseling begon te hellen. Hij greep zich nog steviger vast en voelde dat hij bijna uit het kraaiennest geslingerd werd. Daarna gebeurde er van alles tegelijk. Het schip slingerde, het onweer donderde, bliksemschichten schoten door de lucht en gordijnen van regen kletterden ratelend tegen het dek. De donderklappen volgden elkaar razendsnel op en maakten zoveel lawaai dat je niets meer kon horen. Te zien was er des te meer. De masten, de ra's en de bovenste touwen werden allemaal bedekt met een blauw en blinkend licht. De blauwe vlammetjes flikkerden en knetterden, maar de masten en het zeil brandden niet mee. Jonas schrok. Stond het schip in brand? Hij keek naar Jabik, maar die hield zijn handen voor zijn ogen. Maar wat was dat? Rond Jabiks hoofd zag Jonas een lijn van knetterende blauwe lichtjes. Jonas voelde zijn hart in zijn keel bonken. Wat was dit? Was Jabik door de bliksem getroffen? Waren ze met schip en al door de hel opgeslokt? Rond het schip was alles aardedonker. Het waaide niet, maar de ene reuzengolf volgde op de andere. Telkens als de bliksem insloeg lichtte alles op, in een fel wit, trillend licht. En het bleef maar doorgaan. De golven bleven maar aanrollen, het schip bleef maar slingeren, de regen doorweekte alles en het onweer donderde en donderde. Jonas klemde zich vast met al zijn kracht en smeekte dat het voorbij zou gaan.

Het leek eeuwen te duren, maar langzaam werd het donderen en bliksemen minder. De zwarte wolken kleurden grijs en even later brak de zon door.
'Waar zijn we,' mompelde Jabik. 'Leven we nog?'
'In het kraaiennest,' zei Jonas. 'Ik kwam je brood en kaas brengen, weet je nog?'

Jabik deed zijn ogen open.
'Onweer,' mompelde hij met krakende stem. 'Onweer en Sint-Elmusvuur.'
Hij schraapte zijn keel. 'En dorst,' zei hij, 'dat kan er ook nog wel bij.'
Jonas begon te grinniken.

'Ik haal wel wat te drinken,' zei hij. Hij wilde opstaan, maar dat ging niet goed. Zijn benen leken lam en gevoelloos. Hoe lang zou hij hier gezeten hebben? Jonas bewoog zijn benen om zijn bloed weer goed te laten stromen. Dat hielp en al snel voelde hij dat zijn benen hem weer konden dragen. Maar voor de zekerheid greep hij zich stevig aan de touwen vast toen hij naar beneden klom.
Beneden, aan het dek, klonken stemmen. Matrozen riepen elkaars namen. Jonas hoorde de stem van IJsbrandt de kok. 'Jonas! Waar zit je? Jonas?'
IJsbrandt klonk ongerust.
'Ik ben hier,' riep Jonas, terwijl hij naar beneden klom. 'Ik zat bij Jabik in het kraaiennest!'
'Gelukkig,' zei IJsbrandt met een zucht. 'Wat een geluk. Ik dacht dat er iets ernstigs aan de hand was. Omdat ik je nergens kon vinden, dacht ik dat je overboord gevallen was.'
Krijn kwam aanlopen. 'Wat waren die vlammen?' vroeg hij. 'Hebben jullie die vlammen ook gezien? Boven, hoog in de masten? En in het topzeil?'
'Dat was Sint-Elmusvuur,' zei IJsbrandt. 'Het is volgens sommigen een goed teken. Een teken dat de storm bijna is afgelopen en dat de reis verder voorspoedig zal verlopen. Maar we hebben helemaal geen storm gehad, alleen hoge golven. Wat het dan betekent, weet ik niet. Goed of slecht, de tijd zal het leren.'
'Ik dacht dat de bliksem in de mast was geslagen. En dat het

schip in brand stond,' zei Krijn.
IJsbrandt schudde zijn hoofd. 'Bij Sint-Elmusvuur zie je vlammen, maar er brandt niets. Het is spookvuur.'
'Spookvuur?' De stem van Krijn trilde.
'Ik schrok er ook van,' zei Jonas. 'Ik zat in het kraaiennest en overal waren blauwe vlammen die knetterende geluiden maakten. Rond Jabiks hoofd en op zijn schouders waren ook vlammen te zien en als hij bewoog, bewogen ze mee. Maar er was geen brand en ook geen rook. Je zag alleen vlammen.'
'Was het Elmusvuur dan zo dichtbij?'
Jonas wilde antwoord geven, maar er kwam iemand tussen. Het was Gijsbert Dirkson. 'Dan maak je het niet lang meer,' zei Gijsbert. 'Als je van dichtbij in het Elmusvuur kijkt, ben je aan je laatste reis bezig. Net zoals ik, want ik zou graag op Texel worden afgezet. Zoals mij eerder deze dag plechtig beloofd is.'
IJsbrandt keek Gijsbert aan.
'Waarom zeg je dat tegen mij,' zei hij. 'Als je aan land wil, moet je bij onze goede kapitein zijn. Die is namelijk de baas op het schip.'
IJsbrandt draaide zijn rug naar Gijsbert en keek omhoog. 'Alles goed, Jabik?' riep hij naar boven.
'Alles goed, kokkie. Even wat drinken en we kunnen weer voort.'

Even later kwam kapitein Kwadraat aan dek. Hij zag er verfomfaaid uit, met een mantel vol kreukels en een grote deuk in zijn hoed. De hoge golven hadden hem flink door elkaar geschud, maar zelf leek hij daar geen erg in te hebben. Kapitein Kwadraat had alleen aandacht voor het voorwerp dat hij in zijn hand had. Het horloge. Hij keek er aandachtig

naar, streek over zijn sikje en draaide zijn gezicht naar zijn matrozen.
'Mannen,' zei hij. 'Allemaal luisteren. Dit hier is dus een horloge. Het is een soort kerkklok, maar dan in het klein. Het meet de uren, de minuten en als het waar is wat de maker mij heeft beloofd kun je er zelfs seconden mee tellen. Het is heel kostbaar, ik heb hem betaald met al mijn goudkorrels van onze vorige reis. Maar ik heb geen zandloper meer nodig om te weten hoe laat het is. Dat is handig, want een zandloper moet je elk half uur omdraaien. Bij dit horloge hoeft dat niet. Als ik dit 's ochtends opwind, loopt het de rest van de dag door. Maar het rekenen met minuten, uren en seconden is merkwaardig, dat begrijp ik nog niet helemaal. Het werkt met twaalftallen en zestigtallen. Een dag is twee keer twaalf uur, een uur is zestig minuten, een minuut is zestig seconden. Ik ga daar ernstig over nadenken. Het onweer heeft precies zes uur geduurd, dat heb ik op dit horloge kunnen aflezen. Maar nu eerst de regels aan boord. Ik zie geen nieuwe gezichten, mag ik ervan uitgaan dat iedereen de regels kent?
De matrozen bromden instemmend.
Jabik Veenbaas stak een hand op. 'Bij een kleine overtreding tatoeëert meester Eibokken een keersom op mijn arm. En bij een grote overtreding krijg ik een staartdeling op mijn rug. Zo ging het de vorige reis tenminste.'
Kapitein Kwadraat knikte. Een dikke matroos wilde ook iets zeggen. 'Permissie kapitein, maar ik heb de tafel van acht compleet. Kijkt u maar.'
De matroos stroopte zijn mouw op en liet de tatoeages op zijn bovenarm zien. Jonas keek. De tafel was inderdaad compleet, van 1 x 8 = 8 tot 10 x 8 = 80.
'Dan krijg je een nieuwe tafel,' zei kapitein Kwadraat. Hij

streek nadenkend over zijn sik en zei toen: 'Ik geef jou de tafel van zestig. Heeft er nog iemand vragen?'

Dit keer stak Gijsbert Dirkson zijn hand op. 'Als ik mij goed herinner zou ik op Texel worden afgezet. Bent u nog van plan om zich aan die belofte te houden?'

Er ging een zucht over het dek. Matrozen keken Gijsbert Dirkson verontwaardigd aan. Anderen schudden hun hoofden en mompelden boze woorden.

'Man, door die vloedgolven zijn we al bijna bij Frankrijk,' mopperde Jabik Veenbaas. 'Dacht je dat we voor jou helemaal teruggaan?'

'Zullen we hem bij Duinkerken afzetten, kapitein,' zei Lommert Knoest. 'Dan kunnen de zeerovers daar ook eens lachen.'

Nu was het Gijsberts beurt om boos te kijken. 'En dat ik dan straks met uitgetrokken nagels en tanden in een lekke sloep terug naar Holland gestuurd word, zeker. Met een bordje om mijn nek: "De Hollandse leeuw heeft geen klauwen meer." Daar trap ik echt niet in, Lompe Knoest! Texel was afgesproken, Texel gaat het worden!'

Gijsbert stapte met gebalde vuisten op Lommert Knoest af. Lommert was twee keer zo oud en bijna een kop kleiner, maar leek niet erg bang. Hij hield zijn gezicht vlak bij dat van Gijsbert en wipte op zijn tenen op en neer. Er dreigde een vechtpartij, maar kapitein Kwadraat kwam tussenbeide. Hij klapte in zijn handen en eiste rust en orde. Daarna liet hij Gijsbert Dirkson bij zich komen.

'Gijsbert, ik heb gezegd dat ik je op Texel aan land zou zetten en die belofte houd ik. Je wordt op Texel aan land gezet.'

'Dan zou ik maar eens omkeren, kapitein,' zei Gijsbert Dirkson brutaal. 'Want Texel ligt namelijk in het noorden en u vaart naar het zuiden.'

Even ging er een schok door kapitein Kwadraat. Zijn ogen fonkelden en zijn sikje trilde. Toen ontspande hij, sloeg zijn armen over elkaar en zei triomfantelijk: 'Gijsbert, ik heb gezegd dat ik je op Texel aan land zou zetten, maar ik heb niet gezegd wanneer. Is dat niet zo, meester Eibokken?'
Kapitein Kwadraat draaide zich naar de grote mast, waar meester Eibokken stond. Die knikte met zijn grote, kale hoofd. Daarna zette hij zijn machtige armen in zijn zij, zodat hij nog groter leek dan hij al was.
'U heeft gezegd: "we zullen Gijsbert aan land zetten als we bij het eiland Texel varen."'
Kapitein Kwadraat knikte de barbier toe en draaide zich naar Gijsbert. 'En we varen niet bij Texel,' zei hij. 'Dus...'
Uit de kring matrozen die om Gijsbert heen stonden klonk gegrinnik.
Gijsbert keek verontwaardigd en stak zijn hand op. 'Wanneer varen we dan wel bij Texel? Pas op de terugweg zeker?'
Kapitein Kwadraat pakte zijn horloge, liet hem voor de ogen van Gijsbert heen en weer bungelen en zei langzaam: 'De tijd zal het leren.'
Hierna draaide kapitein Kwadraat zich om en beende met grote stappen naar de stuurhut. Gijsbert Dirkson keek hem na. Hij zei niets, maar zijn blik voorspelde niet veel goeds.

Hoofdstuk 3
Jonas krijgt een nieuwe taak

IJsbrandt kreeg van kapitein Kwadraat opdracht om de matrozen flink te laten eten en Jonas moest hem daarbij helpen. Jonas mopperde niet hardop, maar hij werd wel humeurig. Dit is niet afgesproken, dacht hij telkens. Ik zou leerling-stuurman worden, had kapitein Kwadraat beloofd. En nu sta ik pekelvlees te snijden, net als op de vorige reis. Hij keek naar IJsbrandt. Die las in een boek over wilde dieren. Op de terugweg zouden de kooien in het ruim vol wilde dieren zitten en die moesten eten krijgen. Maar wat voor eten? Dat moest IJsbrandt allemaal in het boek proberen op te zoeken, orders van de kapitein. En hij moest het avondeten verzorgen, ook orders van de kapitein. En Gijsbert Dirkson? Die staat bij de voorplecht, met zijn handen in zijn zakken, dacht Jonas. Die hoeft niks te doen omdat niemand met hem wil werken. Zo mopperde Jonas door tot hij klaar was. Hij liep met de eerste borden naar de stuurhut, want de kapitein, de stuurman en meester Eibokken kregen eerst.
'Zodra iedereen eten heeft moet je hier komen,' zei kapitein Kwadraat. 'Dan krijg je je eerste les. Het wordt een vuurdoop, Jonas. Maak je borst maar nat.' Het klonk dreigend, maar Jonas kikkerde er meteen van op. De kapitein was zijn belofte niet vergeten, dacht hij met een glimlach. Toen hij alles had rondgedeeld liep hij terug naar de kombuis.
'Ik moet naar de stuurhut, IJsbrandt,' zei hij. 'Orders van de kapitein.'
IJsbrandt legde zijn boek over dieren en hun voeding neer. Hij keek naar de wortels, de uien, de repen spek en de groe-

ne kolen die gesneden moesten worden voor de soep van de volgende dag.
'Moet ik alles verder alleen doen,' zei IJsbrandt geschrokken. 'Dat red ik toch nooit in mijn eentje?'
Jonas dacht eraan dat hij zojuist ook alles alleen had moeten doen, maar hij zei het niet. 'Misschien kan je vragen of Gijsbert je komt helpen,' zei hij. 'Die staat zich aan dek te vervelen omdat hij geen taak heeft.'
'Ja, omdat niemand met hem wil werken,' zei IJsbrandt nors. 'En ik doe dat ook liever niet, want daar kan alleen maar narigheid van komen. Nou, ik werk vannacht wel door. Ajuus!'

Toen Jonas de stuurhut binnenliep, zaten de kapitein en de stuurman aan de kaartentafel. De stuurman wees een plek aan en zei: 'We kunnen hier zijn. Bij Vlissingen. Maar er stond geen wind, er was alleen een sterke stroming. En die enorme golven, die kunnen ons ook meegesleurd hebben. Het enige wat zeker is, is dat we nergens land zien.'
Kapitein Kwadraat zuchtte. 'Dit is een gevaarlijke toestand,' zei hij. 'We kunnen vannacht op de rotsen lopen, of op een zandbank. We kunnen ook te dicht bij Duinkerken komen. Dan zijn we de pineut, want we hebben maar één kanon aan boord. Daar lachen die zeerovers om, want die hebben er twintig. En die kunnen bovendien verder schieten dan die van ons. Dus tja.'
'We moeten waakzaam zijn,' zei de stuurman. 'Zodra het donker is een dubbele wacht bij de boeg en een extra man bij de achtersteven. Het is vannacht nieuwe maan, dus veel zicht zal er niet zijn.'
'Ook dat nog,' mompelde kapitein Kwadraat. 'Een slechter begin van een reis kan ik mij niet herinneren.'

Jonas kuchte. 'Permissie, kapitein,' zei hij voorzichtig. 'Maar is Sint-Elmusvuur juist geen goed teken?'
Kapitein Kwadraat schudde zijn hoofd en zuchtte. De stuurman grinnikte.
'Bijgeloof,' zei kapitein Kwadraat. 'Er wordt ook gezegd dat wie van dichtbij in het Elmusvuur kijkt, binnen vierentwintig uur zal sterven. Dus wat moet ik ermee? Je kan het Elmusvuur alleen zien door ernaar te kijken. En als je dan in het Elmusvuur kijkt, ga je binnen een etmaal dood, volgens het bijgeloof. Het is allemaal lariekoek, dus weg ermee. Jonas, ons schip is momenteel in gevaar. En daar kunnen we maar één ding aan doen: meten. En dat ga ik je leren. Zie je dit apparaat? Dat is een kwadrant. Als je op volle zee zit, kan je met een kwadrant meten waar je zo ongeveer bent. Dat doe je als het midden op de dag is en de zon op het hoogste punt aan de hemel staat. Het is nu bijna avond, dus we kunnen vandaag niets meer meten, jammer genoeg. Maar morgen gaan we rond het middaguur samen meten hoe hoog de zon staat. En daaraan kunnen we zien hoe ver we van de evenaar af zijn. Voor vannacht moeten we maar hopen dat we veilig midden op zee zitten. Dat er geen rotsen uit zee steken, zoals bij Engeland. Of dat er zandbanken zijn, zoals bij Walcheren en bij Oostende. Want als de Zilveren Nul lek slaat of vast loopt, dan...'
Jonas hoorde dat de stem van de kapitein even trilde. Daarna schudde hij zijn hoofd en wees hij weer op het kwadrant. 'Zoals gezegd, morgen gaan we hiermee verder. Voor nu zet ik je samen met Lommert Knoest als eerste wacht bij de boegspriet. Zodra het donker wordt moet je daar staan, vannacht om twee uur worden jullie afgelost. Na het ontbijt meld je je weer hier. Begrepen?'
Jonas knikte. 'Begrepen, kapitein.'

De zon was nog niet helemaal onder, maar Jonas ging alvast naar de boegspriet. Hij stond niet lang alleen.
Gijsbert Dirkson kwam naar hem toe geslenterd, met zijn handen in zijn zakken. Hij keek Jonas spottend aan. 'Zo,' zei hij smalend. 'Je wordt al een hele piet. Je bent zeker wel trots dat de kapitein met je praat?'
'Ik ben leerling-stuurman,' zei Jonas, die zich niet op zijn gemak voelde.
'Zo,' zei Gijsbert. 'Ben jij leerling-stuurman. Tjongejonge zeg. Een van de groten der aarde. Zo voel je je toch? Een jongen die het nog ver kan brengen in de wereld.'
'Ik wil proberen stuurman te worden,' zei Jonas zacht. 'En misschien kapitein.'
'Kapitein!' bulderde Gijsbert opeens heel luid. 'Wil jij kapitein worden?'
Jonas voelde dat hij een kleur kreeg. Hij zag dat de andere matrozen zijn kant opkeken. Had hij nu maar niets gezegd. Hij boog zijn hoofd en dacht aan wat Lommert over Gijsbert had gezegd. Dat hij je uitlokte en je daarna voor aap zette. Hij had niets moeten zeggen, maar daar was het nu te laat voor. Wat moest hij nu doen? Doorgaan, dacht hij opeens. Gewoon doorgaan. Zou hij het durven? Jonas raapte zijn moed bij elkaar en schraapte zijn keel.
'Ja, en als ik eenmaal kapitein ben ga ik studeren voor admiraal,' zei hij luid. 'Dan ga ik eerst de Spaanse vloot verslaan, dan de Franse vloot en daarna breng ik de Engelsen tot zinken. Dan ben ik koning van de Zeven Zeeën en eet ik alle dagen krentenbollen met roomboter. En die mag jij voor mij smeren!'
Achter zich hoorde Jonas gegrinnik.
Gijsbert stond met zijn mond vol tanden en keek Jonas spinnijdig aan.

'Ik geloof dat die kleine het geheim gevonden heeft,' zei de stem van Lommert Knoest.
'Wat is er dan?' vroeg Krijn.
'Gijsbert staat voor aap,' zei Lommert. 'Door Jonas, die heeft hem overtroefd. Kijk maar, hij weet niet meer wat hij moet zeggen.'
Na die woorden mompelde Gijsbert een verwensing. Hij wierp Jonas een duistere blik toe en liep zonder iets te zeggen naar de achtersteven. Jonas zag overal lachende gezichten. Lommert knipoogde, Baltus Baltus stak zijn duim op. Hij wilde ook iets tegen Jonas zeggen, maar de deur van de stuurhut ging open. Kapitein Kwadraat stapte naar buiten, gevolgd door de stuurman. Ze liepen naar de plek waar Jonas stond.
'Je zou toch denken,' zei kapitein Kwadraat, 'dat je ook aan het tijdstip waarop de zon ondergaat kunt zien waar je ergens op zee bent.'
De stuurman draaide zijn gezicht naar de zon. 'Mijn broer Thomas vaart op Amerika,' zei hij. 'En die had het daar ook over. Maar hij denkt dat zandlopers niet nauwkeurig genoeg zijn om het precies te berekenen.'
'Zandlopers niet,' zei kapitein Kwadraat. 'Maar dit horloge wel.'
De stuurman keek bedenkelijk. 'Met permissie, kapitein,' zei hij voorzichtig. 'Maar dat moet eerst gemeten worden. Dit is een nieuwe uitvinding. We weten nog niet of hij goed werkt.'
Kapitein Kwadraat streek met zijn hand over zijn sikje. De opmerking van zijn stuurman leek hem niet erg te bevallen.
'Daarbij,' zei de stuurman, 'is er nog geen getallenboekje. Er moet eerst gemeten worden waar en hoe laat de zon op een bepaalde plek ondergaat. Dat moet op alle dagen van het

jaar heel nauwkeurig worden genoteerd. Pas dan kun je aan de zonsondergang afzien waar je ergens bent. Want de zon gaat op elke plek op een ander tijdstip onder.'
Opnieuw streek kapitein Kwadraat over zijn sikje. 'Als ik maar zeker wist dat we niet ergens vlak bij land varen,' zei hij. 'Dat we niet in het holst van de nacht op de krijtrotsen van Dover lopen. Arm schip dat daar lek slaat. Eerst loopt het vol water, dan beukt de branding het kapot en daarna steken de strandjutters de brokstukken in brand.'
'Beruchte rotsen zijn het,' mompelde de stuurman. 'Echte scheepskerkhoven.'
Jonas huiverde toen hij dat woord hoorde. Vanuit het kraaiennest klonk de stem van Jabik.
'Wolken op komst! Vanuit het noordwesten!'
Jonas zag dat de kapitein even bleek werd. Toen rechtte hij zijn rug en liep met grote passen naar de stuurhut.

Even later was hij weer terug en gaf Jonas een gedeukte trompet en een houten kegel, die aan een lang touw zat geknoopt.
'Het is een middeltje uit het tijdperk van de domheid,' zei hij. 'Maar het is alles wat we hebben. Kijk Jonas, zodra het donker wordt moet je deze kegel zover mogelijk voor het schip in zee gooien. Na elke worp moet je goed luisteren. Hoor je een plons, dan is alles goed. Dan haal je de kegel weer binnen en gooi je opnieuw. Hoor je geen plons, dan sla je direct alarm. Probeer zo ver mogelijk te gooien, des te meer tijd hebben we om het schip te keren. Lommert kan je laten zien hoe je het best kan gooien, die heeft in zijn jeugd nog met dit soort kegels gewerkt.'
Kapitein Kwadraat keek naar de ondergaande zon. In de verte kwamen wolken dichterbij. Ze zagen er niet dreigend

uit, maar ze waren wel grijs en dik.
'Nog even en het is stikdonker,' zei kapitein Kwadraat. 'Tot morgenochtend kunnen we alleen maar ons best doen en hopen dat alles goed gaat.'
Hierna liep kapitein Kwadraat naar de grote mast en riep zijn matrozen bij elkaar. Hij legde hun in het kort uit wat er aan de hand was. De matrozen knikten en keken somber.
'Vannacht allemaal met kleren aan slapen,' besloot kapitein Kwadraat. 'Zodat jullie als het misgaat meteen de roeiboot in kunnen. Mannen, ik hoop jullie morgenochtend weer te zien. Moge de hemel ons beschermen.'
'Daar passen we nooit allemaal in,' mompelde Lommert Knoest.
Jonas keek naar de roeiboot. Lommert had gelijk: er konden hooguit acht mannen in. De zon was nu helemaal weg en het wolkendek hing al bijna boven het schip. Nog even en alles was stikdonker. Jonas huiverde, maar hij merkte dat hij niet als enige bang was. Van het middendek klonk gemompel. Een paar matrozen bleven liever aan dek slapen, zodat ze het eerst bij de roeiboot zouden zijn. Toen het donker inviel, werd het mompelen luider.
'1 x 7 = 7,
2 x 7 = 14,
3 x 7 = 21...'
'Ze zeggen de tafel van zeven op,' zei Lommert. 'Omdat zeven een geluksgetal is.'
Ondanks alles moest Jonas glimlachen. De tafel van zeven, die had hij als tatoeage op zijn arm. Tenminste, de eerste twee sommen ervan. Zouden ze echt geluk brengen?
Hij pakte de kegel, slingerde hem een paar maal boven zijn hoofd en wierp hem zover hij kon in zee. De plons was duidelijk te horen. Jonas haalde opgelucht adem.

Na een half uur kreeg hij pijn in zijn arm van het gooien en nam Lommert Knoest het over.
'Dit was het eerste wat ik aan boord leerde,' vertelde hij. 'Meer dan veertig jaar geleden alweer, ik was net veertien. We voeren naar Jamaica maar door een storm kwamen we op een onbekende zee terecht. Omdat de schipper dacht dat de aarde plat was, vreesde hij dat we in het donker over de rand konden vallen. Ik moest toen 's nachts telkens een stuk hout in het water gooien. Elke nacht, tot we weer op een zee waren die we kenden.
Wel blijven opletten, maatje. Kijk goed of je in de verte lichten van bakens of vuurtorens ziet. En ook goed luisteren of het schip ergens tegenaan stoot. Dat kan een boom of een dikke tak zijn en als daar blaadjes aanzitten is dat een teken dat er een rivier in de buurt is. Daar heb ik vroeger een keer het leven van een hele bemanning mee gered.
We voeren in de Indische Oceaan en door een storm waren

we uit de koers geraakt. We wisten niet waar we waren, de zon was heet en het drinkwater was op. Ik stond op de uitkijk en zag een tak van een palmboom voorbij drijven. We zijn toen tegen de stroom in gevaren en kwamen na twee dagen bij een eiland waar een riviertje in zee stroomde. Net

op tijd, het had niet veel langer moeten duren. Heb ik je weleens verteld over...'

Terwijl hij doorpraatte, bleef Lommert de houten kegel in het water gooien. Na een uur kreeg hij een vermoeide arm en nam Jonas het weer van hem over. Zo ging het door tot Krijn en Baltus Baltus kwamen om hen af te lossen.

Jonas bleef aan dek en probeerde wat te slapen, maar daar kwam niet veel van. Hij zat nog maar net of Gijsbert kwam aanlopen en ging naast hem staan.

'Zo,' mompelde hij. 'Je voelt je nu zeker heel wat mans.'

Jonas zei niets terug, maar Gijsbert bleef doormompelen.

'Dat voelt vast wel goed, dat je mij zo voor aap hebt gezet. Dat ze allemaal naar je knipogen en hun duimen opsteken. Nou? Volgens mij lig je nog na te genieten. Nou ja, het is je gegund. Heb je echt in dat Elmusvuur gekeken?'

Jonas voelde zich akelig worden. Hij gaf geen antwoord, maar Gijsbert drong aan. 'Ik vroeg je wat,' zei hij.

'Ja,' zei Jonas. 'De vlammen waren vlakbij.'

'Vlakbij? Maar heb je dan schijnsel van het Elmusvuur op je gezicht gehad?' vroeg Gijsbert. Het klonk alsof dat iets heel ergs was.

'Eh... ja, dat zou kunnen,' antwoordde Jonas. Hij dacht aan de vlammen rond het hoofd van Jabik, die naast hem in het kraaiennest had gezeten.

'Tja, dan is het een kwestie van aftellen,' zei Gijsbert. 'Heb je al met de kok overlegd wat je als galgenmaal wilt eten?'

'Galgenmaal?'

'Ja, galgenmaal. Zo heet dat. Het is je laatste warme maaltijd voor je gaat hemelen.'
Jonas voelde ijskoude rillingen op zijn rug.
'Zeg maar tegen mij wat je het liefst eet,' zei Gijsbert zoetsappig. 'Dan zeg ik het wel tegen de kanenbraaier. Het is ook niet makkelijk, als je nog zo jong bent. Om dan al je galgenmaal te moeten bestellen, ik moet er niet aan denken. Maar ik help je wel. Dan kan jij je in alle rust voorbereiden. Je laatste brief aan je moeder, heb je daar al...'
Gelukkig kreeg Lommert in de gaten wat er aan de hand was. 'Zeg Gijsbert,' zei hij opeens. 'Waarom kreeg je ook alweer die tatoeage? Hoe zat dat nou precies?'
'Waar heb jij het nou weer over,' zei Gijsbert nijdig.
'Nou, gewoon,' ging Lommert door. 'Er zal toch een reden zijn dat je die mislukte tatoeage kreeg? Onze goede kapitein straft nooit zomaar om niets.'
In het donker kon Jonas het gezicht van Gijsbert niet zien, maar aan zijn ademhaling was te horen dat hij flink kwaad werd. Even bleef het stil. Toen draaide Gijsbert zich met een ruk om en liep hij met driftige stappen naar het achterdek. Jonas hoorde de voetstappen en toen een harde klap en een vloek.
'Dat was de derde mast,' grinnikte Lommert. Meteen daarna was hij weer ernstig.
'Hij heeft het op je voorzien, Jonas,' fluisterde hij. 'Ik ken hem: Gijsbert zal niet rusten voor hij het je betaald heeft gezet. Dus pas op je tellen. En nu wat slapen, want morgen is het weer vroeg dag.'
Jonas knikte. Hij ging zo goed en kwaad als het ging op de planken liggen en trok zijn jas over zich heen. Een paar keer hoorde hij de kegel in het water plonzen. Toen sliep hij in.

Hoofdstuk 4
De kapitein in de scheepskist

De volgende ochtend werd Jonas wakker van een luide schreeuw.

'Au! Verdorie nog aan toe! Wat is dat? Wie is daar?'

Jonas schoot overeind. Rondom hem was alles nog schemerdonker. Naast zich zag hij de schaduwen van Krijn en Baltus. Ze keken naar het water voor de boegspriet.

'Wie is daar?' riep Baltus.

Krijn dook opeens naar beneden, pakte iets en hield het bij zijn mond.

'Prèèèèp!'

Iedereen was op slag klaarwakker. Gijsbert en Baltus Baltus renden naar de roeiboot en doken erin, waarbij ze met hun hoofden tegen elkaar kletsten. Jabik Veenbaas kwam als een speer uit het kraaiennest omlaag. Meester Eibokken en kapitein Kwadraat stormden het dek op en renden naar de boegspriet. De stuurman rende naar het roer en duwde de matroos opzij.

'Krijn Haring,' zei de kapitein kortaf. 'Rapporteer! Snel!'

'Geen plons, kapitein,' antwoordde Krijn. 'Alleen maar geschreeuw en gescheld.'

'Wat zeg je?'

Even was het stil. Toen zette kapitein Kwadraat zijn handen aan zijn mond en riep: 'Ahoi! Is daar iemand?'

'Hier is iemand,' klonk het vanuit het duister. 'Iemand met een buil op zijn hoofd.'

'Zijn daar rotsen?' riep kapitein Kwadraat.

'Weet ik niet,' riep de stem. 'Ik drijf hier in het donker en zie niks.'

‘Stuurman,’ bulderde kapitein Kwadraat. ‘Loos alarm!’
Jonas was inmiddels opgestaan en keek gespannen over de zijboord van het schip. Aan de horizon zag hij een lichtende streep. Even later gleden de eerste zonnestralen over het water. Het donker trok weg en naast het schip werd een houten kist zichtbaar, waarin een man zat die een kapiteinshoed op zijn hoofd had.

Kapitein Kwadraat keek verbaasd naar beneden. ‘Ik ben kapitein Pier Kwadraat,’ zei hij. ‘Mijn schip heet De Zilveren Nul. Wilt u bij mij aan boord komen?’
‘Ik ben kapitein Edward Ierland,’ zei de man. ‘Mijn schip heet De Parel, maar ik ben door mijn matrozen overboord gezet. Ik kom graag bij u aan boord, collega.’ 
Hierop draaide kapitein Kwadraat zich om. ‘Baltus, laat een touwladder zakken. IJsbrandt, zorg voor brood en drinkwater. Jabik, terug naar je uitkijkpost. Blijf opletten, wat er ook gebeurt!’

Toen kapitein Ierland even later op het dek stond, kneep Jonas zijn neus dicht. Wat stonk die kerel! Ook de andere matrozen trokken vieze gezichten en draaiden hun hoofden weg. Kapitein Ierland keek hulpeloos om zich heen en liet zich gauw door meester Eibokken meenemen naar het achterdek. Daar was het stortbad. Het was een groot vergiet boven op een paal. Als je een paar emmers zeewater in het vergiet gooide en eronder ging staan, stroomde het water in straaltjes over je heen. Je rug kon je schrobben met een grote borstel, die aan een touw onder het vergiet hing. Terwijl het water neerkletterde, kwam Baltus naast Lommert Knoest staan.

'Edward Ierland,' zei hij, 'komt die naam jou ook bekend voor?'

Lommert knikte.

'Dat is volgens mij een piraat,' zei hij. 'Maar volgens de verhalen die ik over hem heb gehoord is hij een fatsoenlijke kerel. Hij heeft een paar jaar geleden een Hollands schip veroverd. Toen heeft hij de matrozen met genoeg eten en drinken aan wal gezet. Niemand raakte gewond.'

'Dat is een mooi gebaar,' zei Baltus. 'Meestal gooien piraten je overboord. Als voer voor de haaien.'

'Of ze verkopen je op de slavenmarkt,' zei Lommert.

Jonas zag zichzelf in gedachten met een touw om zijn nek op de markt staan en rilde.

'Wat zou er gebeurd zijn?' vroeg Baltus Baltus. 'Piraten zetten niet zomaar hun kapitein overboord.'

Nog diezelfde ochtend kreeg Baltus antwoord op zijn vraag. Na het ontbijt kwamen kapitein Kwadraat en Edward Ierland aan dek. Bij de grote mast begon Edward Ierland te vertellen.

'Mannen, ik dank jullie voor mijn redding uit zee. Dat jullie daarbij een knots op mijn hoofd gooiden, doet er niet toe. Ik dank jullie. En ik kan mijn dank tonen door jullie mijn verhaal te vertellen. Als jullie dat tenminste willen horen.'

De matrozen, die in een grote kring om hem heen stonden, knikten en bromden instemmend. Edward Ierland schraapte zijn keel.

'Het begon vijf jaar geleden. Toen zeilde ik in de Golf van

Mexico en werd mijn schip gekaapt door een Hollandse zeerover, die Zacharias Hooij heette.'

'Zack Hooij,' mompelden de matrozen. 'Die kennen we.'

'Deze piraat,' vervolgde Edward Ierland, 'was een domme kerel. Hij was nergens bang voor, maar volgens mij kwam dat niet omdat hij dapper was. Hij snapte niks en zag dus ook geen gevaar. Toen wij dat doorkregen, begonnen wij hem voor de gek te houden. Dat kwam ons duur te staan. Toen Zacharias Hooij merkte dat hij door ons werd uitgelachen, wilde hij ons ruilen voor eieren. Met het opperhoofd van de Caribs, een volk dat berucht is omdat zij mensenvlees eten. Wij smeekten hem om dit niet te doen, maar hij gaf ons als antwoord: "Ik eet liever een omelet dan dat ik word uitgelachen." Er viel verder niet met hem te praten en het zag er slecht voor ons uit. Een paar van mijn matrozen zagen zich al in een kookpot staan en wilden overboord springen. Liever verdrinken dan levend gebraden. Maar ik wist mijn mannen om te praten. Ze sprongen niet in zee en dat was maar goed ook. Want vlak bij het eiland waar de beruchte Caribs woonden, werd het schip van Zacharias Hooij overvallen door een andere zeerover, kapitein David Winter. Hij bevrijdde ons, zette Zacharias Hooij en zijn mannen aan land en zeilde met twee schepen verder. Kapitein Winter stelde voor dat wij ook zeerovers werden omdat hij met ons samen wilde werken. Hij dacht dat we er samen rijk van konden worden. Als wij het niet deden, zouden wij ook op het eiland worden afgezet. De keus was zo niet moeilijk: piraat worden of in de kookpot terechtkomen. En wat kapitein Winter voorspelde kwam uit: we veroverden wel tien schepen en na twee jaar hadden we zoveel buit dat we nooit meer hoefden te werken. Zo leek het tenminste. Maar bij het verdelen van de buit ging er van alles mis.

De matrozen van kapitein Winter vonden dat ze meer moesten krijgen dan wij. Zij hadden hun eigen schip en veroverden ook het schip van Zacharias Hooij die net het schip van ons had buitgemaakt. Bij elkaar waren dat drie schepen, die zij al hadden voor wij bij hun zeeroversbende kwamen. Wij vonden dat ze daar eigenlijk wel gelijk in hadden en gaven ze hun zin. Maar meteen daarna kwam er ruzie over de verdeling van de rest van de buit. Die was honderdduizend daalders en we waren met 230 man. Dus hoeveel...'
'Dat weet ik precies,' zei Jabik Veenbaas lachend. 'Dat is 434. Kijk maar hier! Dit is het bewijs!'
Jabik draaide zich om, trok zijn zeemanshemd omhoog en liet zijn rug zien. Daarop stond een deelsom van 10.000 gedeeld door 23 getatoeëerd.
Kapitein Ierland knipperde verbaasd met zijn ogen. Hij snapte er duidelijk niets van.
'Dit is een staartdeling,' zei kapitein Kwadraat trots. 'Hij is uitgevonden door Simon Stevin, een professor uit Leiden. U moet weten: ik leer mijn matrozen rekenen.'
'Leren rekenen?' stamelde Edward Ierland. 'U bedoelt optellen en aftrekken?'
Kapitein Kwadraat glimlachte. 'Daar begint het mee,' legde hij uit. 'Maar mijn matrozen zijn al verder. Ze kennen al een paar tafels van vermenigvuldiging. En als ze de tafels van een tot tien uit hun hoofd kennen, komt het echte werk: de staartdeling! Maar ik begrijp dat dit nieuw voor u is. Maak eerst uw verhaal af, beste kapitein Ierland. Dan zal ik u daarna meer vertellen.'
Kapitein Ierland keek nog even naar de deelsom op de rug van Jabik Veenbaas. Ten slotte ging hij aarzelend verder met zijn verhaal.
'Het werd... het werd dus opnieuw enorme ruzie. En wel zo

erg, dat ik de mannen van kapitein Winter niet meer vertrouwde. Wat als die ons ook voor een paar eieren aan de woeste Caribs zouden uitleveren? Ik zag mezelf al draaien, aan een braadspit boven een houtvuurtje. Brrr! Dus op een donkere nacht haalde ik mijn matrozen bij elkaar. En ik stelde voor om stiekem de zeilen te hijsen en stilletjes weg te varen. Zonder buit, maar ook zonder kans om aan de Caribs verkocht te worden. Mijn mannen stemden toe en we ontsnapten. Maar ze wilden wel doorgaan met de zeeroverij. De lokroep van geld en goud had hen in zijn greep. En ik moet eerlijk bekennen: mij ook. We hadden gezien hoe makkelijk zeeroof ging. Een jaartje stelen en roven en je was rijk! Nooit meer je leven wagen voor andermans winsten. Vanaf nu waren alle winsten voor onszelf! In de maanden na onze ontsnapping roofden we het ene schip na het andere. De kapiteins en de matrozen zetten we aan wal, met genoeg eten en drinken om naar een haven te lopen. De schepen en wat er aan boord was verkochten we en het geld stortten we in een kist. Aan het eind van dat jaar zat die kist bomvol en kon het deksel niet meer dicht. Waren we toen maar gestopt! Maar helaas, dat deden we niet. We besloten nog één grote slag te slaan. Daarna zouden we stoppen en de buit verdelen. Een paar dagen later kregen we een schip in zicht. Ik legde mijn zeeroversvlag klaar, om hem te hijsen zodra we vlakbij waren. Alles leek goed te gaan, maar toen we de vlag hesen loste het andere schip meteen een salvo uit al zijn kanonnen. De kanonskogels vlogen over het dek en tien van mijn mannen vielen dood neer. Ik gaf een salvo terug en zag dat het kraaiennest met de uitkijk erin naar beneden stortte en in de golven verdween.'

'Arme kerel,' mompelde Jabik Veenbaas.

'Op het andere schip werd geschreeuwd,' vertelde kapitein Ierland. 'Maar ze gaven zich niet over. In plaats daarvan schoten ze een nieuwe lading kogels op ons af. Ook wij schoten terug en zo ontbrandde er een gevecht op leven en dood. Maar door de wolken kruitdamp kon de stuurman niet meer zien waar hij was en ons schip liep vast op een zandbank. Hierdoor konden we beter mikken, omdat ons schip stil lag. We knalden de voorste mast van onze tegenstanders omver en schoten het stuurwiel aan barrels. Daardoor konden zij hun schip niet meer sturen en dreven ze ook tegen de zandbank op. Daar lagen we, naast elkaar, met schepen die niet meer voor- of achteruit konden. En

we bleven schieten, het ene salvo na het andere. Maar uiteindelijk werd op het andere schip de witte vlag gehesen. Hun kruit was op. Ze konden niet meer schieten en gaven zich over.
We riepen naar hun kapitein en stuurman dat ze naar het strand moesten op het eiland vlakbij. Dat deden ze, maar zodra ze op dat strand waren renden ze naar het bos waar ze zich verstopten. De matrozen bleven wel op het strand. Ze gaven zich over en vertelden wie hun kapitein was: Zacharias Hooij. Toen ik ze aankeek, herkende ik er een paar. Maar mij viel ook op dat ze geen van allen meer oren aan hun hoofd hadden. Toen ik vroeg hoe dat kwam, zeiden ze dat ze door de Caribs gevangen waren genomen. Die hadden hun oren afgesneden omdat ze die een lekkernij vonden. Knapperig geroosterde oorschelpen met daarin het zachtgekookte ei van een papegaai. Ze zeiden dat ze bang waren dat de Caribs een dag later een ander stuk van hun lijf zouden opeten, maar dat gebeurde niet. Ze waren vrijgelaten en met een vlot naar Mexico gepeddeld, waar ze op het strand een lekgeslagen schip vonden. Dat hadden ze gerepareerd en zo waren ze weer verder gaan zeeroven.
Ik sprak met ze af dat we hun geldkist zouden afpakken maar dat ze hun schip mochten houden. Dan konden ze het opnieuw repareren en verder varen. Maar toen dat gebeurd was begonnen mijn matrozen te mopperen. Er zaten veel gaten in ons schip en er waren veel doden en gewonden. Volgens hen kwam dat omdat Zacharias Hooij te lang was blijven doorvechten. En toen ze merkten dat de munten in de buitgemaakte geldkist niet van goud of zilver waren maar van koper, was de boot aan. Een schatkist vol kopergeld, dat vonden ze oplichterij. Ze wilden kapitein Hooij vangen en aan de Spanjaarden uitleveren. Die hadden een

beloning van 5.000 zilverstukken uitgeloofd. Mijn matrozen wilden het bos in om Zacharias Hooij te grijpen, maar ik vond dat geen goed plan. Als de Spanjaarden hem in handen zouden krijgen liep het slecht met hem af. Dat hij zijn oren kwijt was vond ik eigenlijk straf genoeg. Ik probeerde mijn matrozen om te praten. Toen dat niet lukte, verzon ik een list. Ik vulde de wijnkruiken bij met hele sterke rum. En daarna wachtte ik die avond bij het kampvuur tot al mijn mannen door de drank in slaap waren gevallen. Toen iedereen lag te snurken liet ik de mannen van Zacharias Hooij ontsnappen. Toen mijn mannen wakker werden deed ik alsof ik niet snapte waar onze gevangenen gebleven waren. Dat mislukte jammerlijk. Mijn bootsman was een sluwe kerel en had meteen door hoe de vork in de steel zat. En toen moest ik voor het piratengerecht. Als een piraat niet tevreden is over zijn kapitein, kan hij hem aanklagen. Als de meerderheid het met hem eens is, wordt de kapitein ontslagen. Die mag dan niet meer meevaren. Meestal wordt hij op een onbewoond eiland afgezet, met een kruik water en een brood. Maar ik was slechter af. Omdat ze vonden dat ik de boel had verraden werd ik midden op zee overboord gezet, in mijn eigen scheepskist. Normaal gesproken zou ik van dorst zijn omgekomen, maar ik had geluk. Ik kreeg een kegel op mijn hoofd en heb een stevige buil, maar ik leef nog. Daarvoor dank ik de voorzienigheid, maar ook jullie. Dank dus, duizendmaal dank.'

Even was het stil aan dek. Toen begonnen de matrozen in hun handen te klappen.

'Prachtig verhaal,' zei Jabik Veenbaas wel drie keer achter elkaar.

'Wat een prachtig verhaal!'

Hoofdstuk 5
Land in zicht!

Na het verhaal van kapitein Ierland ging iedereen weer aan het werk. Volgens Edward Ierland waren hier in de wijde omgeving geen eilanden of rotspunten, wat een hele geruststelling was. Alleen Jonas werd met de minuut ongeruster. Hij dacht telkens aan de opmerking van Gijsbert, over het schijnsel van het Elmusvuur. Gisteren had hij daar van dichtbij ingekeken. Gisteren, aan het eind van de middag. Volgens Gijsbert had hij dan nog vierentwintig uur te leven. Volgens kapitein Kwadraat was het allemaal onzin. Wie zou er gelijk hebben? Jonas voelde zich steeds zenuwachtiger worden. Hij durfde niet bij de zijboorden te staan, uit angst om door een plotselinge golf overboord te vallen. Hij durfde ook niet onder de dwarsmasten door te lopen, uit angst dat er een afbrak en op zijn hoofd viel. Wat was de veiligste plek op het schip? Jonas piekerde zich suf, maar hij vond niets. Op het dek kon je overboord vallen. Of gegrepen worden door een reuzeninktvis. Onder het dek kon je van de trap vallen. Je kon er lelijk uitglijden, of verpletterd worden door watervaten die heen en weer rolden. Of gespietst worden door een woedende zwaardvis, die zijn zwaard dwars door de scheepswand stak. Jonas keek naar de zon. Die stond al aardig hoog aan de hemel, een teken dat het bijna middag was. Hoe laat was het Elmusvuur gisteren verschenen? Laat in de middag, maar hoe laat precies? Hoeveel uur was hij nog in levensgevaar? En kon je eigenlijk wel aan de vloek van het Elmusvuur ontkomen door voorzichtig te doen? Of zouden dit hoe dan ook zijn laatste uren op aarde zijn?

Jonas werd nu zo onrustig dat hij niet meer stil kon blijven staan. Hij drentelde heen en weer en liet de ene diepe zucht na de andere. Gijsbert Dirkson zag het. Hij stond half achter de stuurhut en lachte in zijn vuistje.
Uiteindelijk hield Jonas het niet meer. Hij rende naar

IJsbrandt de kok, riep dat hij doodging en barstte in tranen uit. IJsbrandt was net bezig met vlees snijden en snapte er eerst niets van. Pas toen Jonas hem snikkend en hakkelend had verteld dat hij in het schijnsel van het Elmusvuur had gekeken, begreep hij het.
'Dat is zeker weer zo'n verhaal van Gijsbert,' mopperde hij. 'Jonas, trek je er niets van aan. Jij zat vlak bij het Elmusvuur, maar Jabik ook. Ga naar Jabik en vraag of hij bang is dat er vandaag iets ernstigs met hem gebeurt. En als Jabik niet bang is, hoef jij dat ook niet te zijn.'
Jonas vond Jabik bij de voorplecht, waar hij met Lommert stond te praten. Hij vroeg of hij een vraag mocht stellen. Nadat hij die gesteld had, keken Jabik en Lommert hem even hoofdschuddend aan. Toen zeiden ze in koor: 'Gijsbert.'
'Jonas,' zei Jabik daarna. 'Ik heb al drie keer hoog in de mast midden in het Elmusvuur gezeten. En kijk: ik leef nog. Of zie ik er soms uit als iemand die dood is?'
Jonas begreep dat hij niet bang hoefde te zijn en haalde opgelucht adem.
De deur van de stuurhut ging open. Kapitein Kwadraat stapte naar buiten, klapte in zijn handen en riep: 'Mannen! Verzamelen bij de grote mast! Rekenles!'

De matrozen stonden in een kring, meester Eibokken sloeg de maat op zijn trom en de tafels van een tot tien werden opgedreund. Het viel niet mee. De eerste twee tafels, die van een en die van twee, gingen nog wel goed. Daarna leek het erop dat de meeste matrozen wat ze de vorige reis hadden geleerd weer vergeten waren. Bij de tafel van drie begon het gestuntel, bij de tafel van vier werd het erger. De tafel van vijf lukte weer aardig, maar die van zes werd een rommeltje. Iedereen mompelde maar wat door elkaar en kapitein Kwadraat keek aan het eind zo teleurgesteld dat Jonas medelijden met hem kreeg. Groot was dan ook de verbazing, toen de tafel van zeven door alle matrozen vlekkeloos werd opgedreund.

Kapitein Kwadraat keek ongelovig naar zijn matrozen. Meester Eibokken vergat op de trom te slaan.
'Hoe kan dat nu?' vroeg kapitein Kwadraat aan het eind.
'Gewoon,' zei een dikke matroos. 'Deze kennen we uit ons hoofd.'
'Ziet u, kapitein,' zei Krijn. 'Dit is onze gelukstafel. Als er gevaarlijke of griezelige dingen gebeuren, mompelen we deze tafel.'
Baltus Baltus viel hem bij. 'Toen bij het onweer het Sint-Elmusvuur in de masten brandde en de golven huizenhoog werden, hebben we met zijn allen deze tafel opgedreund. Zo lang als het noodweer duurde.'
De andere matrozen knikten.
'Het komt door dat rare weer,' zei Lommert Knoest. 'Daardoor kennen we hem nu uit ons hoofd.'
'Ik heb hem opgedreund toen ik hoog in de mast zat,' zei Jabik Veenbaas. 'En ik ken hem van buiten, terwijl ik de tafel van twee al te moeilijk vind. Ik ken alleen die van een, die van zeven en die van tien.'
Kapitein Kwadraat streek nadenkend over zijn sikje. 'Maar als je de tafel van zeven kent, dan ken je die van acht ook,' zei hij. 'Je telt er gewoon telkens wat bij op. 3 x 7 = 21, dus

3 x 8 is dan 21 + 3. Dat is samen 24 en dat klopt, want 3 x 8 = 24.'

IJsbrandt stak zijn hand op. 'Permissie kapitein, maar dat doe ik al. Ik heb op mijn arm de tafel van drieëntwintig en dat is handig, omdat we meestal met drieëntwintig man aan boord zijn. Zo weet ik altijd hoeveel soepballen ik moet maken en hoeveel eieren ik moet koken. Maar nu varen we met een man meer, omdat Gijsbert zo nodig mee moest. Dus reken ik op deze reis met drieëntwintig plus een. En sinds we kapitein Ierland uit zee hebben opgevist reken ik met drieëntwintig plus twee.'

Jabik Veenbaas schudde opeens zijn hoofd. 'Als je dat doet, moet je nog meer rekenen,' zei hij. 'En ik krijg er al koppijn van. Ik denk toch dat het het beste is om het uit je hoofd te leren, hoe moeilijk het ook gaat.'

Kapitein Kwadraat knikte. 'Ik denk dat je gelijk hebt, Jabik. Het is het beste om ze uit je hoofd te leren. En dat kunnen jullie, dat hebben jullie bewezen. De tafel van zeven is de moeilijkste tafel die er is, en jullie kennen hem foutloos.'

De matrozen begonnen te glunderen. Ze kenden de moeilijkste tafel! De kapitein zei het zelf!

Jonas zag dat de kapitein hem wenkte. 'Jonas, het is bij het middaguur. We gaan straks met het kwadrant opmeten hoe ver we ongeveer van de evenaar zijn, dus blijf in de buurt.'

Jonas voelde zijn hart overslaan. Eindelijk! Zijn eerste les als stuurmansleerling!

Hoofdstuk 6
Op rantsoen

Een week later kon Jonas al aardig met het kwadrant overweg. Op een middag, juist toen de stuurman het apparaat weer kwam brengen, klonk vanuit de mast de stem van Krijn.
'Land in zicht! Een eiland met hoge bergen!'
Jonas stond bij de zijboord en keek naar het eiland in de verte. Hij zag met bloemen bespikkelde heuvels, diepgroene bossen en in de verte een eenzame berg.
'Kent iemand dit eiland?' vroeg kapitein Kwadraat.
De meeste mannen schudden hun hoofden, maar kapitein Ierland stak zijn hand op.
'Dit is een van de Azoren. De Portugezen zijn er de baas. Brood hebben ze hier niet, ze eten een soort knollen. Of wortels. Nou ja, eerlijk gezegd weet ik niet wat het zijn, maar ze groeien onder de grond.'
'De Azoren,' zei kapitein Kwadraat met een zucht. 'Dan zijn we midden op de oceaan. Ik dacht dat we bij Noord-Afrika zouden zitten. Nu moeten we helemaal terug. En we kunnen hier geen eten en drinken kopen, want Holland is in oorlog met Portugal.'
'Zijn er op dit eiland wilde dieren?' vroeg de stuurman.
Kapitein Ierland schudde zijn hoofd.
'In de heuvels leven veel konijnen. Verder zijn er veel vogels, vooral op de rotsen langs de kust. En vissen natuurlijk. Als je hier in ondiep water een lijn uitgooit kan je hem meteen weer binnenhalen. En als je geluk hebt is de vis die eraan zit niet zo groot dat hij jou het water intrekt.'

'Zeg eens, Ier. Leven er op de andere eilanden dan geen zebra's of apen?' Gijsbert Dirkson vroeg het op brutale toon. Edward Ierland keek hem verstoord aan. De manier waarop Gijsbert tegen hem praatte beviel hem niet, maar als schipbreukeling had hij aan boord niets te vertellen. Hij

kuchte even en zei: 'Voor zover ik weet leven op de Azoren konijnen. En de vogels zijn hetzelfde als die in Ierland en Engeland.'

Kapitein Kwadraat keek Gijsbert onvriendelijk aan, maar hij zei niets.

De stuurman keek zorgelijk. 'Met deze wind duurt het zeker vijf dagen voor we bij de Canarische Eilanden zijn. En die zijn Spaans, zodat we daar ook geen voedsel en drinkwater kunnen kopen.'

'Heeft Holland nog steeds oorlog met Spanje en Portugal?' vroeg Edward Ierland. Toen kapitein Kwadraat antwoordde dat dit inderdaad zo was trok hij een nadenkend gezicht.

'Dan is Gambia de dichtstbijzijnde plek waar proviand gekocht kan worden,' zei Edward Ierland. 'Want daar is een Engels fort. De rest van de kust is van de Portugezen en de Spanjaarden.'

'Maar zeg eens, zijn daar dan zebra's en apen?' vroeg Gijsbert Dirkson.

Dit keer glimlachte Edward Ierland.

'Er zijn daar apen die twee keer groter zijn dan een mens, en tien keer zo sterk. Harige bosreuzen zijn het, met gloeiende ogen die in één ruk het hoofd van je lijf trekken. Vooral als je blonde haren hebt, want daar zijn ze gek op. Die nemen ze mee naar boven in hun boom om de luizen eruit te peuteren. En dan mag je nog van geluk spreken, want in de rivier leven monsters die tien meter lang worden. Die hebben bekken die zo groot zijn, dat een volwassen mens er met gemak in past. Maar die zijn nog niet het gevaarlijkste. Er kruipen daar reusachtige gifslangen door de struiken en vlak onder het zand leven vleesetende mieren die zo groot zijn als honden. Die wachten tot je over hun hol loopt, springen dan achter je aan, scheuren het vlees van je kuiten en rennen weg. Die beesten eten alleen kuiten, de rest lusten ze niet. Dus als zo'n mier wegrent met een homp kuit, rennen alle andere mieren achter hem aan om het af te pakken. Bloederige taferelen zijn dat, heel afschrikwekkend om beesten met elkaar om een stuk van jouw vlees te zien vechten. Geloof me, je hart staat stil als je dat ziet. Ehmmm...'

Het gezicht van Gijsbert werd bleek. Kapitein Ierland was nog niet uitgepraat.

'Had ik al verteld van die reuzenbijen? Met angels zo groot als dolkmessen?'

Gijsbert slikte en liep gauw naar de zijboord. Terwijl hij van angst moest overgeven knipoogde Edward Ierland naar de andere matrozen. Dat had hij beter niet kunnen doen. De

matrozen begrepen dat Gijsbert voor de mal werd gehouden en begonnen te grinniken. Toen Gijsbert dat merkte werd hij nijdig, maar hij zei niets.
'Hoelang is het zeilen naar Gambia,' vroeg de stuurman.
'Van hieraf en met deze wind... ik denk een dag of tien,

twaalf,' schatte Edward Ierland. 'Het land is makkelijk te herkennen, want het ligt aan weerskanten van een heel brede rivier. Wie langs de kust zeilt komt eerst een paar kleinere rivieren tegen, de eerste echt grote rivier is de Gambia. Daar is het land ook naar genoemd.'
De stuurman knikte naar IJsbrandt. 'Is er nog voor twaalf dagen drinkwater?'
'Dat zal net lukken,' antwoordde IJsbrandt. 'Maar het voedsel raakt wel op. We zullen moeten vissen. En hopen op een goede vangst.'
Kapitein Kwadraat keek naar de eilanden die langzaam dichterbij kwamen.
'Bij die eilanden zit voldoende vis,' merkte Edward Ierland op. 'Maar ik ben bang dat de Portugezen ons gezien hebben. Volgens mij komt er een schip op ons af.'
Meteen nadat hij dit gezegd had klonk uit het kraaiennest een waarschuwing.
'Schip aan stuurboord! Portugees!'
'Dat gaat dus niet lukken,' mompelde kapitein Kwadraat. Hij streek over zijn sikje en draaide zich naar IJsbrandt.
'Vandaag nog goed eten en daarna halfrantsoen,' zei hij. 'Aangevuld met de vis die we onderweg vangen. Opdracht duidelijk?'
IJsbrandt knikte. 'Opdracht duidelijk, kapitein.'

Toen de matrozen dit hoorden betrokken de gezichten. Halfrantsoen, dat werd honger lijden. 's Ochtends droge

beschuit met water, 's middags een halve kop soep en 's avonds een handjevol bonen met wat uisnippers. En dat twaalf dagen lang...
IJsbrandt keek wel vrolijk en Jonas wist waarom. Kapitein Kwadraat had Gijsbert opdracht gegeven om in de kombuis te helpen. Maar aan de hulp van Gijsbert had IJsbrandt helemaal niets.

'Eerst doet hij net alsof hij vreselijk dom is,' had IJsbrandt gefoeterd. 'Dan moet ik voordoen hoe je een ui moet snijden en daarna vraagt hij of ik het nog een keer wil voordoen, want hij heeft het niet goed gezien. En dat tien keer achter elkaar! Kan je het nog een keertje voordoen, Kaantje? Want hij noemt mij Kaantje, dat komt er ook nog eens bij. En dan geef ik hem het makkelijkste werkje dat er is, soep roeren. En dan begint hij eerst te zeuren of hij linksom moet roeren of rechtsom. En daarna vraagt hij of de lepel de bodem van de pan mag raken of niet. En terwijl hij praat, doet hij niks en brandt alles aan en wordt alles klonterig. Dus heb ik hem de kombuis uitgestuurd. Maar nu moet ik elke dag van zes uur in de ochtend tot het donker wordt werken. En dan komt er ook nog een schipbreukeling aan boord, dus weer een mond extra om te voeden.'
Dat halfrantsoen komt IJsbrandt mooi van pas, begreep Jonas. Maar IJsbrandt was niet de enige...

Gijsbert Dirkson wachtte zijn kans af. Hij wachtte tot het drie dagen geleden was dat de matrozen een fatsoenlijke maaltijd hadden gekregen. De mannen begonnen honger te voelen en werden humeurig. Toen begon Gijsbert. Eerst met gefluister tegen de jongere matrozen, zoals Krijn.
'Wat vind je, Krijn. Als jij ergens te gast bent en je merkt dat het eten bijna op is, zou je dan blijven of zou je weggaan?'

Krijn gaf natuurlijk als antwoord dat hij dan weg zou gaan. Gijsbert gaf hem groot gelijk en wist zeker dat hij hetzelfde zou doen.
'Helaas Krijn,' vervolgde hij, 'is niet iedereen zo nobel als wij. Er zijn mensen die in zo'n geval gewoon blijven plakken. Ik ga geen namen noemen, want het is al triest genoeg. Dat er mensen zijn die zich als bloedzuigers gedragen, bedoel ik. Maar ja, we moeten ons erbij neerleggen. Het is niet anders.'

Toen Krijn dit bij het eten van een paar bruine bonen vertelde, wist Jonas meteen waar Gijsbert op uit was. Hij vertelde dit aan Krijn en legde meteen uit dat er weinig van het verhaal klopte.
'We waren met vierentwintig aan boord en nu zijn we met vijfentwintig. Dat maakt maar weinig verschil, Krijn. We hebben nu ieder veertig boontjes en een klein augurkje. Zonder kapitein Ierland zouden we niet eens twee boontjes meer hebben gekregen. En daarbij een schijfje van een augurk die in vierentwintig plakjes is gesneden. Dan heb je nog steeds honger, volgens mij.'
Krijn moest daar even over nadenken, maar toen begreep hij het. Dat gold jammer genoeg niet voor de anderen. Jonas lette goed op en merkte dat een paar matrozen niet meer zo vrolijk naar kapitein Ierland keken. Die merkte het zelf ook.
Toen Jonas op de vijfde middag na het ingaan van de rantsoenen in de stuurhut zat, werd er geklopt. Het was kapitein Ierland, die belet vroeg bij kapitein Kwadraat. Toen hij de opdracht kreeg om vrijuit te spreken, zei kapitein Ierland dat hij overboord gezet wilde worden.
'U hebt problemen en door mij worden die groter,' legde hij uit. 'Ik kan uw gastvrijheid niet langer aannemen. Uw matrozen lijden honger en ik ben daar mede schuld aan.'

Jonas hield zijn adem in, maar kapitein Kwadraat vertrok geen spier.
'Ik moet u teleurstellen, mijn beste. U bent mijn gast en u blijft dat tot we op een veilige plek aankomen. Wat de sfeer aan boord betreft: domheid maakt dat mensen zich als wolven gaan gedragen. Daarom wil ik ook dat mijn matrozen goed leren rekenen. Als ze dat kunnen, merken ze dat het niet zoveel verschil maakt of er een man meer of minder aan boord is. Daarbij was uw advies over Gambia van grote waarde. Zonder dat zou ik naar de Hollandse forten op de zuidpunt van Afrika zijn gevaren en zouden we veel langer onderweg zijn. Dan zou ik mijn matrozen niet op halfrantsoen, maar op kwartrantsoen hebben gezet. Daarbij heb ik uw kennis over Gambia misschien nog hard nodig. Ik ben daar niet eerder geweest en weet in het geheel niet wat mij daar te wachten staat. Dus waarde gast: uw verzoek is afgewezen. Maar ik kan u helaas niet aan het werk zetten, ook al zou ik dat willen. Uw verleden als zeerover maakt dat onmogelijk. Zodra ik u aan het werk zet bent u volgens de regels lid van mijn bemanning. En ik mag geen zeerovers in dienst nemen, dat is de wet.'
Kapitein Ierland zuchtte.
'Ik waardeer dit ten zeerste. Maar het doet mij pijn dat ik onrust op uw schip veroorzaak. En dat ik niets kan doen om u voor uw gastvrijheid te belonen.'
Kapitein Kwadraat knikte. Meester Eibokken stak zijn hand op.
'Spreek vrijuit,' zei kapitein Kwadraat.
'Volgens mij mag kapitein Ierland wel vissen. Dat is namelijk geen werk op het schip zelf. Het is werk op een stukje van het schip af. En dat mogen kapers volgens mij wel.'
Kapitein Kwadraat streek over zijn sikje. Daarna keek hij naar kapitein Ierland.

'Ik ga vissen,' zei die. 'Als u het goed vindt. Een lijn en een haak heb ik, maar ik heb geen aas.'
Kapitein Kwadraat en meester Eibokken keken elkaar aan.
'U mag geen aas geven aan een zeerover.' Meester Eibokken zei het voorzichtig. 'Dan helpt u hem met werken en dat mag niet. Kapitein Ierland moet zelf voor aas zorgen.'
Kapitein Ierland knikte. 'Dan zorg ik zelf voor aas,' zei hij. En hij haalde een mes uit zijn jas, sneed zijn oorlel af en stak het aan zijn haak.
Jonas voelde zich misselijk worden. Kapitein Kwadraat keek gauw de andere kant uit. Meester Eibokken trok zijn verbandkist onder de zitbank vandaan en haalde er een doek en een naald en een draad uit.
'Eerst even hechten,' zei hij. 'Daarna verbind ik de wond en kan u gaan vissen.'

Terwijl Edward Ierland zijn vislijn uitrolde, kreeg kapitein Kwadraat een nieuw probleem. IJsbrandt had Gijsbert een week eerder uit zijn kombuis weggestuurd, maar nu de rantsoenen gehalveerd waren wilde Gijsbert weer in de keuken helpen. IJsbrandt voelde daar niets voor. Toen het druk was, had Gijsbert hem het leven zuur gemaakt zoveel hij kon. Nu was er de helft minder werk en kon IJsbrandt het werk makkelijk alleen af. Hij stuurde Gijsbert daarom weg met de boodschap dat hij de goede kapitein Kwadraat om een ander klusje moest vragen.
Toen kapitein Kwadraat dit hoorde betrok zijn gezicht. 'Wat moet ik toch met die kerel aanvangen?' mopperde hij. De stuurman knikte.
'Ik denk dat u moet aanvaarden dat er met sommige mensen niet goed te werken valt, kapitein. Dit is de derde reis met Gijsbert erbij en het is elke keer hetzelfde liedje. Hij

doet heel vriendelijk en beloofd voortdurend dat hij zijn leven gaat beteren. Maar er komt nooit iets van terecht. Als het druk is, voert hij niets uit. En als het rustig is begint hij iedereen tegen elkaar op te stoken. Dit is zijn derde reis, kapitein. Ik zou u willen vragen om de oude wijsheid "drie keer is scheepsrecht" toe te passen. Als het deze reis weer net zo gaat als de vorige keren moet u hem de volgende keer niet meer meenemen.'

Kapitein Kwadraat knikte met tegenzin. 'Nou ja,' zei hij. 'Misschien heb je gelijk. Ik ga er vanuit dat elk mens zijn nut heeft, als je hem de kans maar geeft. Misschien is dat inderdaad verkeerd gedacht. Maar goed, de reis is nog niet ten einde. Je weet nooit wat er nog gebeuren gaat.'

Op het achterdek zat Edward Ierland. Hij had zijn vislijn in zijn handen en trok hem zachtjes op en neer.
'Willen ze niet bijten?' vroeg Gijsbert op zoetsappige toon.
'Nee,' zei kapitein Ierland kortaf.
'Nou, je hebt wel pech,' ging Gijsbert verder. 'Eerst raak je je schip kwijt. Dan kom je ergens aan boord waar het eten op is. En daarna wil de vis niet bijten. Sjongejonge, wat een pech heb jij.'
'De zee is hier heel diep,' zei kapitein Ierland. 'En dan is er niet zoveel kans dat je een vis vangt. Maar je weet nooit. Misschien heb ik geluk en komt er een school jonge tonijnen langs.'
'Heb je dan ook weleens geluk?' vroeg Gijsbert. 'Daar zie je anders niet naar uit, met die versleten kleren en die afgedragen hoed.'
Kapitein Ierland zweeg even.
'Ja, het lot heeft soms vreemde verrassingen,' ging hij op rustige toon verder. 'Maar dat maakt het leven juist zo span-

nend. Nu zitten we hier, maar wie weet waar we volgende week zijn. In de theesalon van de gouverneur van Gambia? In de buik van een monsterlijk roofdier? De tijd zal het leren.'

Nu werd Gijsbert nijdig, Jonas hoorde het aan zijn stem.

'Dat van die monsters is natuurlijk overdreven,' zei hij scherp. 'Denk maar niet dat ik daar intrap, Iertje.'

Op dat moment gaf kapitein Ierland een felle ruk aan zijn vislijn. Die kwam meteen strak te staan en schoot door de golven heen en weer. Beet, wist Jonas. Hij keek gespannen naar het water. De lijn stond zo strak als een sleeptouw. Dat moet een flinke vis zijn, wist Jonas. Hij zag het ook aan kapitein Ierland, die achterover leunde en de lijn stevig in zijn handen geklemd hield. De vislijn zigzagde door het water, een teken dat de vis zich niet zomaar omhoog liet slepen.

'Dat is een felle,' hoorde Jonas naast zich zeggen. 'Ik denk

dat die minstens drie voet lang is.'
'Tonijn is de lekkerste vis,' zei Lommert. 'En daarna kabeljauw.'
'Zwaardvis is ook lekker,' zei Baltus.
'Ik heb het liefst een flinke zalm,' zei Jonas. Hij klopte op zijn buik.
Jonas zag een vis opspringen die groot en gespikkeld was.
'Het is een zalm! Jonas heeft zijn zin, mannen!'
Lommert Knoest stak zijn armen in de lucht. 'We gaan vandaag zalm eten!'
'Het is een joekel,' zei Baltus Baltus opgewonden. 'Minstens dertig pond! Ieder een pond gebakken vis, mannen. Dat wordt schransen dat de stukken eraf vliegen!'
De grote zalm spartelde fel tegen. Hij sprong hoog uit het water, dook als een pijl naar de diepte en schudde wild met zijn kop heen en weer. Het hielp hem niet. Kapitein Ierland haalde met rustige slagen zijn vislijn binnen en bij elke slag werd de zalm een stukje dichter naar het schip getrokken. De zalm gaf niet op en vocht door tot het einde. Dat kwam iets eerder dan verwacht. Op het moment dat de zalm het schip raakte dook uit de duisternis van de diepzee een enorme witte schaduw op. Een bek vol blikkerende tanden ging wijd open en slokte de zalm in één keer naar binnen.
'Loslaten, kapitein,' schreeuwde Lommert. 'Het is een witte haai! Laat je lijn los!'
Kapitein Ierland reageerde net op tijd. Op het moment dat hij de lijn uit zijn handen liet vallen, dook de haai weer terug naar de diepte. Even kon je op het achterdek een speld horen vallen. Toen klonk er een luide zucht van teleurstelling.

Lommert Knoest keek naar kapitein Ierland, die zwijgend naar het water keek en een verslagen indruk maakte.
'Hij is echt een pechpiraat,' mompelde Lommert.

In de dagen die volgden, probeerde Gijsbert de boel verder

op te stoken. Hij begon over het Boze Oog te vertellen. Volgens Gijsbert was dat een vloek die op sommige mensen rustte. Een vloek die mensen kregen die een geheime afspraak met de duivel hadden gemaakt.
'Zo'n vloek treft altijd één persoon,' vertelde Gijsbert toen het die avond donker werd. 'Maar die ene persoon kan de anderen met zich meetrekken in het ongeluk. Als je denkt dat iemand het Boze Oog heeft, kan je beter uit zijn buurt blijven. Ik zweer het je, het Boze Oog kent geen genade. Het kleeft aan iemand als warme pek. Je komt er niet meer van los, nooit. Bij elke stap die je doet kom je een stukje dichter bij de ondergang. Met de duivel moet je geen afspraken maken. Maar ja, sommigen doen het toch...'
Terwijl hij dit zei keek Gijsbert snel naar kapitein Ierland, die aan de andere kant van het dek stond.
Baltus Baltus zag het en schudde zijn hoofd. 'We hebben de laatste dagen anders prima zeilweer,' zei hij. 'Heel wat beter dan toen hij nog niet aan boord was.'
Daar was Gijsbert even stil van. 'Tja,' zei hij. 'Eh... maar we zijn er nog niet. Er kan nog echt van alles misgaan. Wat dacht je van spookschepen, bemand met wandelende geraamten. En windstilten die wekenlang duren en waarbij de een na de ander van hitte en dorst krankzinnig wordt. En zeemonsters, nog groter dan die witte haai die...' Gijsbert leek iets te bedenken. 'Die onder ons schip zit en met ons meezwemt. Dat is het, die witte haai is een afgezant van de duivel. Hij wacht en wacht en als het tijd is, slaat hij genade-

loos toe. Hebben jullie die muil gezien? Honderden tanden had hij. Ja, dat denken jullie, maar ik weet precies hoeveel tanden dat monster had. Zeshonderdzesenzestig waren het er! Zeshonderdzesenzestig, het Getal van het Beest!'
Gijsbert was steeds luider gaan praten. De stuurman hoorde het, maar toen hij het dek opkwam liet Gijsbert zijn stem meteen dalen.
'Nou ajuus mannen,' zei hij gauw. 'Ik ga slapen. Goedenacht en welterusten.'

'Verdorie,' mopperde Krijn toen het donker was geworden. 'Kan ik alweer niet in slaap komen. Allemaal door Gijsbert met zijn verhalen.'
'Over het Boze Oog,' mompelde Jonas.
'Nee, ik bedoel over die haai,' zei Krijn. 'Dat dat monster vlak onder onze boot zwemt en precies zeshonderdzesenzestig tanden heeft. Ik moet er niet aan denken.'
'Denk er dan ook niet aan,' zei Jonas.
'Dat is het hem nou juist,' zuchtte Krijn. 'Dat lukt me niet. Dat heb ik altijd met die verhalen van Gijsbert. Ik weet dat hij kletst en alleen maar probeert om iemand zwart te maken. Dat weet ik heel goed. Maar er is altijd iets waardoor ik ga twijfelen. Dan kan ik weer de hele nacht niet slapen. En dan word ik doodmoe wakker en is mijn hele dag weer verpest.'
'En dat is precies waar hij op uit is,' zei Lommert Knoest, die alles had gehoord. 'Dat wij humeurig worden en ruzie met elkaar gaan maken. Dat is het enige waar hij plezier in heeft.'

Hoofdstuk 7
Het fort van Gambia

De vislijnen die vanaf 'De Zilveren Nul' werden uitgegooid bleven leeg. Gijsbert Dirkson ging door met het rondstrooien van zijn praatjes over het Boze Oog en het Getal van het Beest. En elke dag kregen de matrozen meer honger. De stemming aan boord werd ronduit slecht. Iedereen liep met een knorrig gezicht rond. Niemand zong, niemand lachte en er werden geen moppen verteld. Toen na dagen van goed zeilweer de wind opeens afzwakte, werd het onrustig aan dek. De matrozen lieten hun werk in de steek en liepen naar de grote mast. Een paar gezichten stonden op onweer.

'Windstilte,' zei een grote matroos met een baard. 'Dat is de druppel. We...'

Op dat moment kwam de stem van Jabik Veenbaas uit het kraaiennest.

'Rivier in zicht! Brede rivier!'

Na deze woorden bleef het even stil. Daarna klonk er voorzichtig gejuich. Een paar matrozen klapten in hun handen. Kapitein Kwadraat kwam uit de stuurhut en richtte zijn kijker naar de horizon.

'Eilandje met fort,' riep Jabik vanuit de mast. 'Engelse vlag!'

Nu galmden er vreugdekreten over het dek. Maar kapitein Ierland keek niet vrolijk. Hij frommelde nerveus aan de mouwen van zijn vaalzwarte jas en vroeg of hij kapitein Kwadraat kon spreken.

'Natuurlijk,' zei kapitein Kwadraat. 'Loop mee naar de stuurhut, dan drinken wij een glas wijn op de goede aankomst. Jonas, kom jij ook?'

Jonas voelde zijn hart een buiteling maken. Hij mocht meeklinken! Dat betekende dat hij er nu echt bij hoorde!
In de stuurhut kreeg Jonas een klein beetje wijn, waar meester Eibokken een flinke scheut water bij deed. 'De rest krijg je als je groot bent,' zei hij grinnikend.
Na de heildronk kwam kapitein Ierland met zijn probleem. 'De Engelsen zoeken mij, omdat ik schepen van hen heb gekaapt. Ze hebben een flinke beloning voor degene die mij gevangen neemt. Het eilandje met het fort is van Engeland, daar ben ik niet veilig. Maar de stranden ten noorden van het forteiland zijn onbewoond. Als u mij daar afzet, verschuil ik mij in de bossen. Dan kan ik strikken zetten en misschien nog wat dieren voor u vangen. Geen grote dieren, die houd ik in mijn eentje niet in bedwang. Maar een paar kleurige papegaaien, een aapje of een mooie hagedis, dat moet lukken. En als u ze niet nodig hebt, laat ik ze gewoon weer vrij. Zou u misschien zo goed willen zijn mij buiten het zicht van de Engelse wachtposten naar het strand te roeien?'
Kapitein Kwadraat dacht even na en knikte.
'We zeilen straks met een boog naar de rivier,' zei hij. 'Ik heb gezien dat voor het fort een grote zandbank ligt, en daar moeten we omheen. Maar voor we dat doen, laat ik de roeiboot te water. Aan de achterkant van het schip, buiten het zicht van de wachtposten. Jonas en meester Eibokken, jullie roeien kapitein Ierland naar het strand. Daarna komen jullie meteen terug en roeien achter het schip aan. Met deze zwakke wind halen jullie het makkelijk in, maar zorg dat jullie zoveel mogelijk achter het schip blijven. Dan is de kans dat iemand op het fort jullie ziet het kleinst. Opdracht begrepen?'
'Opdracht begrepen, kapitein,' zeiden Jonas en meester Eibokken.

'En kijk op het strand naar sporen van dieren,' zei kapitein Kwadraat, toen ze langs de touwladder naar beneden klommen en in het roeibootje stapten. 'Dat kan altijd van pas komen.'

Terwijl hij stevig aan de riemen trok begon Jonas zich opeens grote zorgen te maken. Wat voor dieren zouden ze straks tegenkomen? Meer dan mansgrote apen? Reuzenschildpadden en monsterlijke hagedissen? En leeuwen, hoe groot konden die worden? De kooien in het ruim leken stevig genoeg. Die waren gemaakt van dikke ijzeren stangen, die met grote bouten aan elkaar waren geschroefd. Maar hoe kreeg je zo'n wild en oersterk reuzendier daarin?
Veel tijd om te piekeren kreeg Jonas niet. Vlak voor het strand was een branding, waar de golven omhoog kwamen en met veel geraas omrolden. Het was de kunst om de boot daar doorheen te roeien zonder dat iedereen drijfnat werd. Daarvoor moest je heel goed opletten. Je moest de andere roeier in de gaten houden, omdat je tegelijk vaart moest zetten. Anders kwam de boot scheef op de branding te liggen en sloeg hij om. Daarbij moest je ook goed op de golven letten. Het beste was om een hoge golf uit te kiezen en daar vlak achteraan te roeien. Dan tilde die golf de boot op en was je in één keer op het strand.
Jonas keek meester Eibokken aan en wees op een golf schuin achter hen. Meester Eibokken knikte. Ze pakten allebei hun roeiriem stevig beet en wachtten.
'Nu!' riep meester Eibokken. Ze zetten zich schrap, trokken uit alle macht aan de riemen en roeiden de boot zo snel ze konden achter de voortrollende golf aan.
'Prachtig,' zei kapitein Ierland, toen ze even later op het strand stonden. 'Ik heb geen spatje water op mijn kleren gekregen. Keurig gedaan.'

Hij wees naar een grote palmboom die tussen een rij lage struiken stond.
'Achter die boom maak ik een hut. Als jullie mij komen ophalen en ik sta niet op het strand te wachten, zouden jullie daar dan even willen kijken of alles goed met mij is?'
Jonas knikte. Hij keek naar het strand om te zien of er diersporen waren. Hij zag afdrukken van vogelpoten en twee brede, slepende sporen die tot aan de zee liepen.
'Zijn hier mensenetende dieren?' vroeg hij benauwd.
Kapitein Ierland grijnsde.
'Hier niet,' zei hij. 'Die sporen daar zijn van schildpadden, maar die doen je niets. De grote dieren zitten bij de rivier. Dieren moeten drinken, net als wij. En van zout water gaan ze dood. Maar jullie schip vaart verder. Zal ik helpen met de boot door de branding slepen?'

Dat de matrozen aan boord zich ook zorgen begonnen te maken, bleek toen Jonas aan dek terugkwam. Hij werd meteen met vragen bestookt.
'Hebben jullie voetsporen van monsters gezien?'
'Lagen er afgekloven geraamten op het strand?'
'Rook het er naar bloed?'
Jonas antwoordde dat het een gewoon strand was en dat er alleen vogels en schildpadden leefden. Dat zorgde voor opluchting, maar niet voor lang.
'Maar dan moeten we het oerwoud in om wilde dieren te vangen,' riep een matroos verschrikt. Een andere matroos viel hem bij.
'Dat vertik ik,' zei hij. 'Ik ben matroos. Ik moet zeilen hijsen en dekken schrobben. Laten anderen maar het bos ingaan. Ik blijf in de haven!'
'Zo denk ik er ook over,' zei een ander, terwijl hij zijn armen

voor zijn borst kruiste. 'Met geen stok krijg je mij die bossen in.'
'Goed gezegd,' mompelden de matrozen die naast hem stonden.
Kapitein Kwadraat merkte al snel dat er onrust aan dek was.

Hij liep met grote stappen naar de voorste mast, klapte in zijn handen en riep iedereen naar zich toe.
'Mannen,' zei hij. 'Er komt nu een moeilijk deel van de reis. Ik geef toe dat ik een fout heb gemaakt. Ik had iemand moeten meenemen die bekend is met de jacht op groot wild. Die had ons kunnen vertellen hoe we de dieren moeten vangen en aan boord halen. Dat heb ik niet gedaan en daar heb ik nu spijt van. We zullen de dieren zelf moeten vangen. Of anders terugzeilen naar Holland, daar een jager aan boord halen en weer naar hier varen. Steek je hand op als je terug wilt.'
Jonas keek gespannen rond. Hij zag dat flink wat matrozen elkaar onzeker aankeken. Steeds meer handen gingen voorzichtig omhoog. Dat duurde tot Gijsbert Dirkson zijn hand in de lucht stak.
'We gaan terug,' zei hij. 'En dit keer word ik op Texel aan land gezet. En zo niet, dan zwaait er wat.'
Toen de andere matrozen dit hoorden, lieten ze hun armen weer zakken. Jonas kon maar net zijn lachen inhouden. Liever het oerwoud in en met blote handen een monster vangen, dan Gijsbert zijn zin te geven!
'Eén tegen en drieëntwintig voor,' zei kapitein Kwadraat. 'We gaan dus aan land en maken er het beste van.'
Toen Gijsbert merkte dat hij de enige was die tegen had gestemd, trok hij een verontwaardigd gezicht. Jonas hoorde gegrinnik en zag dat een paar matrozen een lange neus naar Gijsbert maakten.
Eenmaal aan land keek Jonas zijn ogen uit. De mensen die

in houten huisjes langs de rivier woonden, waren donker en hadden bruine ogen en fijn krullend haar. Ze kwamen nieuwsgierig naar hem toe.
'Engeland?' vroeg een jongen aan Jonas, terwijl hij naar hem wees.
Jonas schudde zijn hoofd. 'Holland.'
De jongen wees naar een plek achter de huisjes.
'Banana,' zei hij. 'Fish, fish. Market.'
Wat de jongen hierna zei verstond Jonas niet, maar meester Eibokken begreep het wel.
'Er is verderop een markt waar we vlees, vis, fruit en groenten kunnen kopen, kapitein,' zei hij tegen kapitein Kwa-

draat. Die knikte, keek naar de zon en dacht even na. 'IJsbrandt,' zei hij. 'Loop met die jongen mee, kijk wat er te koop is en hoe we dat kunnen betalen. Hier zijn zilveren munten, ik hoop dat ze die willen hebben. Baltus en Gijsbert, jullie gaan terug naar het schip en houden de wacht. Meester Eibokken, probeert u een plek te vinden waar we vanavond met zijn allen kunnen eten. De anderen komen met mij mee.

We gaan een wandeling langs de rivier maken en kijken welke diersporen we daar tegenkomen. Op mijn horloge is het twee uur en de zon gaat hier om zeven uur onder. Dan moeten we in dit dorp terug zijn, want ik zou hier niet graag de nacht buiten door willen brengen. Jonas, neem jij mijn horloge en houd de tijd in de gaten. Ik teken de diersporen na. Jabik, jij let erop dat ik niet word aangevallen als ik aan het tekenen ben. Komaan mannen, we maken groepen van vijf. Een groep loopt langs het water, een loopt langs de bosrand en een loopt over het midden van de oever. Kijk goed om je heen en hou je mes en sabel bij de hand. Bij gevaar niet wegrennen, maar bij elkaar blijven. Eendracht maakt macht, eenzame vluchters zijn verloren. Jonas, Jabik, Lommert en ik lopen iets achter jullie aan en wie sporen ziet, roept ons. Orders begrepen?'

'Orders begrepen, kapitein,' mompelden de matrozen.

Kapitein Kwadraat haalde zijn horloge uit zijn zak en gaf het aan Jonas.

'En nu lopen, mannen. Denk er maar aan dat we vanavond gebraden vlees en gebakken bananen eten.'

Hoofdstuk 8
Achtervolgd door een monster

De oever van de rivier was heel breed en grassig, zodat het lopen makkelijk ging. Toen Jonas na een half uur omkeek, merkte hij dat het dorp al niet meer te zien was. Het fort zag hij nog wel, met de Engelse vlag in top. Vlak daarna riep de groep die langs het water liep dat ze sporen gevonden hadden.

Jonas en de kapitein liepen naar de mannen toe. Die wezen naar de grond, waar pootafdrukken te zien waren.

'Een groot hert,' zei kapitein Kwadraat. 'Het is uit het bos naar de rivier gelopen om te drinken. Kijk maar.'

De matrozen volgden de sporen, die inderdaad uit het bos kwamen.

'Maar kapitein,' vroeg een matroos opeens met trillende stem. 'Waar is het hert nu?' Even was het stil. 'De... de sporen houden hier op,' hakkelde de matroos. 'En ik zie geen hert.'

'Ach wat,' zei kapitein Kwadraat. 'Het zal een stuk door het water zijn gelopen. Verderop vinden we de sporen vast wel terug.'

Kapitein Kwadraat klonk vastberaden, maar aan zijn gezicht was te zien dat hij zich niet op zijn gemak voelde.

Jonas keek ongerust naar de rivier. Het water was modderig en kabbelde langzaam voorbij. Kapitein Kwadraat pakte een vel papier en tekende de sporen na. Jonas pakte het horloge en draaide zijn hoofd weer naar het traag langsstromende water. Opeens kreeg hij een idee. Als ik een stuk hout in het water gooi en meeloop met het hout, redeneerde hij. En ik meet hoeveel passen het stuk hout per minuut aflegt, dan weet ik hoe snel de rivier stroomt. Tenminste, per minuut. Als ik die passen dan met zestig vermenigvuldig weet ik het per uur. En als ik die uitkomst met vierentwintig vermenigvuldig, dan weet ik het per dag.

70

Jonas zocht de oever af om te zien of ergens een stuk hout lag. Een tak, een stronk, alles was goed, als het maar dreef. Hij vond niets, maar toen hij weer naar de rivier keek, zag hij in het midden een stuk van een boomstam. De stam was groen en hobbelig en dreef langzaam naar de plek waar hij stond. Jonas pakte het horloge en keek op de wijzerplaat. Op het moment dat de boomstam langs hem dreef begon Jonas mee te lopen en telde hij zijn passen.

'Drie, vier, vijf.'

Toen zag Jonas iets vreemds. De boomstam ging sneller dan het water van de rivier. En kwam schuin op hem af... Jonas stopte het horloge terug in zijn zak en fronste zijn voorhoofd. Even maar, want meteen daarna kreeg hij de schrik van zijn leven.

'Kapitein!' gilde hij. 'Rennen! Snel! Jabik! Lommert! Ren voor je leven!'

Kapitein Kwadraat keek op en zag Jonas met grote stappen voorbij rennen. Hij draaide zijn hoofd naar de rivier, liet potlood en papier vallen en zette het op een lopen, waarbij hij Jabik en Lommert met zich meetrok.

Het was geen moment te vroeg. Vlak achter Jabik en kapitein Kwadraat schoot een reusachtig monster de rivier uit. Het had een bek als een badkuip en een brede kop met gele ogen. Jonas hoorde achter zich kaken klappen maar hij keek niet om. Voor hem stonden de andere matrozen, die met wijd open monden toekeken en lijkbleek wegtrokken.

'Lopen jullie,' bulderde kapitein Kwadraat. 'Iedereen lopen! Naar het bos!'
De matrozen draaiden zich om en kwamen in beweging. Eerst houterig, maar na een paar stappen stoven ze als hazen naar de bosrand. Jonas merkte dat kapitein Kwadraat naast hem liep. Vlak achter zich hoorde hij Jabik hijgen, daarna het klapperen van een kaak en woedend geblaas. Jonas voelde zijn haren overeind komen. Zou Jabik...
'Doorlopen!' hoorde hij Jabik schreeuwen.
Jonas balde zijn vuisten en spande zich tot het uiterste in. Met alle kracht die hij in zich had schoten zijn voeten over het gras. Verderop keek een matroos achterom. Meteen daarna hield hij op met rennen en riep: 'We zijn gered, kapitein! Hij geeft het op!'
Jonas liep nog een paar stappen en draaide zich om. Toen hij zag wat hem op de hielen had gezeten schrok hij pas echt. Midden op de oever stond een wanstaltig groot ondier. Het had een enorme bek met honderden tanden, een reusachtig groot lichaam en een staart met scherpe stekels erop. Het was langer dan zeven mannen die op elkaars schouders stonden en was van snuit tot staart met grote groene schubben bedekt. Alles was groot aan het monster, behalve de poten. Die waren kort en krom en leken het machtige lijf met moeite te kunnen dragen. Het beest hijgde en zwiepte nijdig met zijn staart heen en weer.
Even was Jonas bang dat het beest alleen maar stilstond om kracht te verzamelen. Dat het even zou wachten en dan opnieuw in de achtervolging zou gaan. Maar dat gebeurde

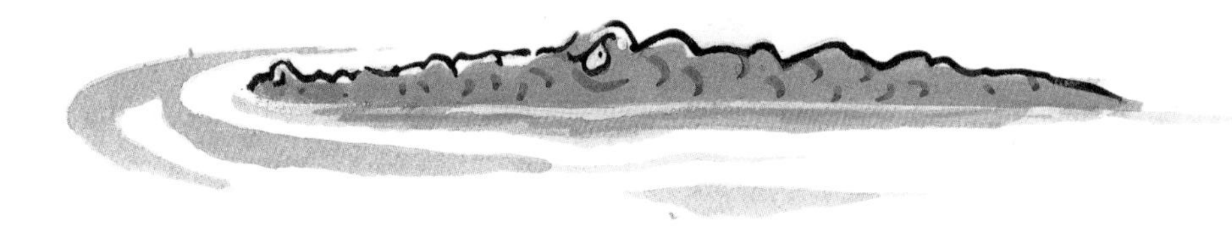

niet. Het groene gedrocht draaide zich langzaam om en waggelde naar de rivier terug.
'Grote genade, kapitein,' hijgde een matroos. 'Moeten we zulke beesten vangen en naar het schip brengen?'
'Ik dacht dat kapitein Ierland een grapje maakte,' mompelde een ander. 'Maar dan zijn hier vast ook apen die tweemaal zo groot als een mens zijn.'

De matroos was nog niet uitgesproken of vanuit het bos klonk gegil. 'Rennen! Maak dat je wegkomt! Weg, weg!' Er klonk gekraak van brekende takken en daarna een ijselijke gil. 'Neeeeee... moedertje, moedertje, hij haalt me in!'
'Help! Help!'
'Neeeeee...'
Hierna werd het stil. Jonas voelde zijn benen zwaar en ijskoud worden. Wat voor monster loerde er tussen de bomen? Wie zou het gegrepen hebben?

Jonas keek naar de matrozen op het strand. Waar was Krijn? Zou...
Uit het bos klonken weer stemmen. 'Krijn, kom hier! Hier zit je veilig. Snel jongen, snel! Aaaah!'
Na de laatste gil klonk er opnieuw kabaal. Toen zag Jonas iets waardoor zijn hele lichaam in een klomp ijs leek te veranderen. Hij zag een kop. Boven de bomen! Er stak een kop boven de bomen uit! Jonas wilde wegrennen, maar hij kon zich niet bewegen. Zijn voeten stonden muurvast op de grond. Hij keek met grote angstogen naar de kop, die boven de boomtoppen uitstak. Hoger dan een mast, dacht Jonas. Dat beest is hoger dan de mast van ons schip! Dat monster... Jonas aarzelde. Monster? Hij keek naar de bruin met wit gevlekte kop. Boven op die kop stonden twee gekke hoorntjes en naast die hoorntjes hingen twee donkerbruine flaporen. Het dier had grote bruine ogen waarmee het verbaasd naar beneden keek. Jonas voelde aan dat dit geen verscheurend monster was, zoals dat reuzenloeder uit de rivier. Maar waarom was iedereen dan zo bang?
Een paar tellen later begreep Jonas waarom. Het dier stapte langzaam het bos uit. Het had heel grote en lange poten, een vrij klein lijf en daarboven een enorme lange nek. De poten alleen al waren langer dan drie volwassen mannen bij elkaar. En de nek ook, als je de kop erbij rekende. Het dier liep met statige passen naar het water, zette zijn voorpoten wijd uit elkaar, boog zich voorover en begon te drinken.
'Dat beest past toch niet op een schip,' zei een matroos.
'Dan kan hij het kraaiennest als voerbak gebruiken,' zei een ander.
'Dit beest gaan we echt niet vangen. Anders gaan we opnieuw stemmen en dan ga ik echt meteen naar huis terug.'
Jonas keek snel naar kapitein Kwadraat. Die keek bedenke-

lijk naar het enorme dier dat verderop stond te drinken.
'Dit hebben ze er niet bij gezegd,' hoorde Jonas hem mompelen. Het dier ging met een hupje rechtop staan, draaide zich om en draafde met houterige stappen naar het bos terug. Jonas keek naar de rivier. In het water zag hij twee monsterlijke koppen, met beitelvormige slagtanden en sluwe varkensoogjes. Van de overkant van het water klonk dof gebrul. Daar zaten blijkbaar meer van dit soort monsters, want de dieren brulden terug, waarbij ze hetzelfde doffe geluid maakten. Vanuit het bos vlakbij klonken andere geluiden, hoger en scherper. De matrozen gingen bij elkaar staan. Ze hadden hun sabels in hun handen en keken schichtig naar het bos en de rivier. Jonas hoorde tanden klapperen. Toen hoorde hij in de verte iemand roepen.
'Kapitein! Wacht! Kapitein!'
Jonas zag een klein figuurtje dat met zijn armen zwaaide.
'Kapitein!'
Even later zag hij dat het IJsbrandt was. 'Kapitein,' riep hij terwijl hij naar hen toe holde. 'Stop! Stop!'
Toen hij dat zei, struikelde IJsbrandt en viel hij languit in het gras.
De matrozen kwamen in beweging. Ze liepen achter kapitein Kwadraat aan naar IJsbrandt toe. Die krabbelde overeind en hoestte. Kapitein Kwadraat klopte hem op de rug. De matrozen wachtten gespannen af wat IJsbrandt wilde vertellen. Zou het schip geroofd zijn? Waren de dorpelingen vijandig?
IJsbrandt hijgde en probeerde diep adem te halen.
'Op de markt,' hakkelde hij. 'U hoeft niet... Permissie, kapitein. De markt!'
De matrozen keken elkaar ongerust aan. Wat zou er op de markt zijn? Kannibalen die armen en benen verkochten?

IJsbrandt haalde nog een keer diep adem en rechtte zijn rug. 'Ze verkopen dieren,' zei hij. 'Levende dieren! U hoeft niet alles zelf te vangen, kapitein. Ze verkopen zebra's, ezels met zwart-witte strepen. En zwijnen met slagtanden en rare knobbels op hun kop. Herten met hoorns als kromzwaarden. En kleine diertjes die op hun achterpoten staan en waar iedereen om moet lachen. Hagedissen! En vogels, heel veel vogels. Met rode en blauwe veren en kromme snavels. U hoeft geen dieren te vangen, kapitein. We kunnen ze op de markt kopen, met het geld dat u ons meegaf. Want die munten willen de mensen graag hebben.'

Vanaf de rivier klonk een kreet van angst, een woedende brul en daarna gespartel. Kapitein Kwadraat klapte in zijn handen.

'Dan gaan we naar de markt,' zei hij. 'Meelopen mannen! Midden op de oever en bij elkaar blijven!'

Hoofdstuk 9
Op de markt

Op de markt keek Jonas zijn ogen uit. Achter de kramen stonden vrouwen in kleurige gewaden. Sommigen hadden een doek om hun hoofd gewikkeld tegen de hete zon. Anderen droegen parasols en weer anderen hadden van grote bladeren afdakjes gemaakt. Een zacht gepiep trok Jonas' aandacht. Vlak naast zich zag hij een lange paal die op twee schragen steunde. Aan die paal was een dier gebonden. Het dier had kort zwart haar en voeten die op handen leken. De voeten staken omhoog en waren boven de paal aan elkaar vastgebonden. Onder de voeten zaten zwarte eeltplekken. Jonas fronste. Boven de voeten zag hij twee zwarte handen, die ook aan elkaar waren gebonden. Het lijf bungelde en over de bek van het dier was een doek gebonden zodat het niet kon bijten. Het dier kreunde zachtjes.
'Kapitein,' riep Jonas. 'Hier is een dier! Ik denk dat het een aap is, want het heeft handen.'
Kapitein Kwadraat kwam meteen. IJsbrandt liep achter hem aan.
'Herken jij dit dier?' vroeg kapitein Kwadraat.
IJsbrandt knikte. 'Het is een chimpansee,' zei hij. 'Het heeft flaporen, zwart haar en lijkt een beetje op een ongeschoren mens. Dat zijn de kenmerken van een chimpansee, volgens mijn boek.'
Dat is waar ook, dacht Jonas. IJsbrandt heeft de hele reis in een boek over wilde dieren gelezen.
'Dan koop ik hem,' zei kapitein Kwadraat. 'Jonas, hoe laat is het?'

Jonas keek op het horloge. 'Tien minuten voor vijf, kapitein.'
'Uitstekend,' zei kapitein Kwadraat. 'Dan kan ik deze chimpansee nog aan boord laten brengen voor het donker wordt. Kijk goed om je heen, Jonas. Koopman Vingboons wil van elke soort twee dieren hebben. Dus als je nog ergens een andere chimpansee ziet moet je mij waarschuwen. En geef mij het horloge graag terug.'
Jonas knikte en gaf het horloge.
'IJsbrandt,' zei kapitein Kwadraat. 'Je zei iets over ezels met witte strepen. Waar zijn die?'
'De zebra's stonden op een landje bij de rivier,' zei IJsbrandt. 'Maar ik weet niet of die er nog zijn, kapitein. De verkoper was aan het onderhandelen met een slager.'
'Dan moeten we daar snel heen,' besloot kapitein Kwadraat. Terwijl IJsbrandt de kapitein voorging naar het landje, tilden Krijn en Lommert de stok op waaraan de chimpansee was vastgebonden. Samen droegen ze de aap naar het schip. Toen Jonas ze nakeek, zag hij een stuk verderop Gijsbert Dirkson lopen. Jonas fronste. Waar komt die vandaan, dacht hij. Hij moest toch op het schip passen? Jonas keek het pad af waarover Gijsbert liep en zag dat het naar het fort leidde. Een luid geknor leidde zijn aandacht af. Toen Jonas zag waar het geluid vandaan kwam sprong hij van schrik achteruit. Hij zag twee varkens met heel korte pootjes en enorme koppen met gekrulde slagtanden. Die koppen waren bedekt met bulten en gezwellen. Tussen hun oren staken een paar plukken gele sliertharen uit hun vel.
'Kapitein!' riep Jonas.

Toen Jonas tegen zonsondergang naar het schip liep, haalden Jabik en Lommert hem op met de roeiboot. Jonas zag

dat Jabik een verband om zijn pols had.
'Die aap heeft me lelijk te pakken gehad,' zei Jabik. 'Ik vond het zielig dat er een doek om zijn bek geknoopt zat. Ik maakte die doek los, maar toen kreeg ik toch een knauw.'
Lommert keek over zijn schouder naar de ondergaande zon.

'Zijn er al meer dieren aan boord?' vroeg Jonas.
'De kapitein heeft twee zebra's gekocht,' zei Lommert. 'Maar die komen pas aan boord als we wegvaren, omdat zebra's veel moeten drinken. Verder zijn er twee gruwelvarkens, twee papegaaien, twee apen en een kist vol hagedissen.'
'Dat monster dat uit de rivier kwam,' zei Lommert. 'Dat heet een krokodil en die bestaan ook in het klein. Daar neemt hij er ook twee van mee.'
Jonas keek Lommert ongelovig aan. 'Maar die kleintjes worden toch groot?'
'Daar ben ik ook bang voor,' zei Lommert. 'Maar die handelaar zegt van niet. Hij zegt dat deze krokodillen klein blijven. En je weet hoe onze kapitein is, die gelooft iedereen op zijn woord.'
'We moeten alleen nog twee wilde katten hebben,' zei Jabik. 'Er zijn hier geen grote leeuwen, maar wel een soort roofkatten. Ze zijn niet op de markt te koop, omdat hun vlees niet lekker smaakt. Die zullen we zelf moeten vangen. Kapitein Kwadraat zal wel om vrijwilligers vragen. Nou, mij niet gezien. Voor geen prijs ga ik dat oerwoud in. Al die woeste beesten, ik krijg er nog steeds de rillingen van.'
'Maar er is ook goed nieuws,' zei Lommert. 'Aan dek staan allemaal schalen met eten. Gebraden vlees, gebakken vis en een grote bak met gestoofde bonen die heel lekker smaken.'

Hoofdstuk 10
Gestippelde roofkatten en harige reuzen

De volgende ochtend werd Jonas wakker van een trompetstoot.

'Prrèèèp!'

Alle matrozen sliepen nu aan dek. De dieren in het ruim waren onrustig, zodat je beneden niet in slaap kon komen. Jonas wreef de slaap uit zijn ogen. Hij zag dat kapitein Kwadraat uit de stuurhut naar buiten stapte.

'Mannen, allemaal wakker worden,' riep hij met luide stem. 'We hebben alle dieren die we zoeken aan boord, op één soort na. Dat zijn wilde katten. Zodra we die hebben, kunnen we naar huis. Ik vraag jullie: wie willen er mee om zulke dieren te vangen? Ik heb gisteren op de markt een jager gevonden die weet waar deze dieren te vinden zijn. Hij en zijn zoon willen ons helpen, maar er moeten twee gewapende mensen mee. Anders vinden ze het te gevaarlijk.'

Niemand van de matrozen zei iets.

Kapitein Kwadraat zuchtte. 'Dan ga ik zelf wel,' zei hij. 'Maar er moet nog iemand mee. Wie gaat er met mij mee?'

Jonas keek de kring rond. Het zag er niet naar uit dat iemand zich zou aanmelden. De meeste matrozen keken langs hun kapitein heen. Een paar staarden somber voor zich uit. Jonas dacht na. Zou hij het durven? Hij had nog nooit met een pistool geschoten. Hij had zelfs nooit een pistool in zijn handen gehad! Zou hij...

'Ik doe het, kapitein,' zei hij opeens. Er klonk een tevreden gemompel over het dek. Jonas zag dat de mannen hem

goedkeurend aankeken. Alleen meester Eibokken schudde zijn hoofd. Hij stak zijn hand op.
'Dit is geen goed idee, kapitein. Wat als we u en Jonas allebei kwijtraken? Jullie zijn de enigen aan boord die goed met het kwadrant kunnen werken. Ik ga in uw plaats, als u het goed vindt. Dat is trouwens een voordeel, want ik kan de mensen die hier leven verstaan. Tenminste, een beetje.'
Kapitein Kwadraat aarzelde. Hij keek Jonas aan. Jonas knikte terug, ten teken dat hij het een goed idee vond. En dat was ook zo, want meester Eibokken had jarenlang in tropische bossen geleefd. Hij wist precies wat gevaarlijk was en wat niet. Kapitein Kwadraat wist veel over rekenen, maar van wilde dieren had hij veel minder verstand.
'Ieder twee pistolen en een lang mes,' vroeg meester Eibokken aan kapitein Kwadraat. 'Zouden we dat kunnen krijgen? Het is nog vroeg, ik wil graag voor het heel warm wordt het bos in.'

Op het strand stonden de jager en zijn zoon al op Jonas en meester Eibokken te wachten. Ze zagen er nors uit, maar toen meester Eibokken een paar woorden in hun taal sprak, glimlachten ze. De jager heette Ubu, zijn zoon Polly. Toen Jonas zich voorstelde knikten ze vriendelijk en herhaalden ze zijn naam. 'Jonas.'
Bij meester Eibokken ging dat moeilijker. 'Miestu Ieboekka?'
Meester Eibokken schudde zijn hoofd en zei zijn naam nog een keer.
'Miesta Aibokka?' zei Polly, de zoon.
Toen meester Eibokken weer zijn hoofd schudde wees vader Ubu met zijn vinger naar hem. 'Ik Ubu. Jij Bokka!'
Jonas schoot in de lach.

'Jij Bokka,' zei Ubu nog een keer. Daarna wees hij naar een lange kano en naar de overkant van de rivier.
Jonas schrok. Hij dacht aan het monster uit de rivier. Moest hij in dat bootje naar de overkant?
'Stap maar in, Jonas,' zei meester Eibokken. 'We moeten naar de overkant.'
'Stap maar in, Jonas,' herhaalde Polly.
Jonas was meteen niet bang meer en stapte grinnikend in de kano. Pas toen ze een flink eind van de kant waren, begon hij het weer griezelig te vinden. Hij hield het water links en rechts van de kano scherp in de gaten. Toen de kano aan de overkant aankwam, haalde hij opgelucht adem.
Aan de overkant bracht Ubu hen naar een open plek tussen de bomen. Daar stonden vier ronde huisjes. De muren waren gemaakt van dikke takken, die in elkaar gevlochten waren. De daken waren houten staken die met dikke bladeren waren bedekt. Ubu liep naar een omheind veldje en kwam terug met een jong geitje.
'Dat is het lokaas,' vertelde meester Eibokken. 'Ze gaan dat geitje in de buurt van de roofkatten aan een boom binden en spannen daarna een net. En als de grote katten het geitje willen grijpen, trekken zij het net dicht.'
Jonas knikte. 'En dan hebben zij de roofkatten gevangen.'
'Als alles goed gaat wel,' zei meester Eibokken.
'En als het niet goed gaat?' vroeg Jonas.
Meester Eibokken trok zijn pistolen en zwaaide ermee. 'Dan komen wij tevoorschijn,' zei hij. 'Pang, pang, gat in je wang!'
Jonas legde zijn handen op de pistolen die hij in zijn broekriem droeg. Hij vond het griezelige dingen, maar was toch blij dat hij ze had.
Even later liepen vier jagers en een geitje langs een smal

bospad. Hoog boven zijn hoofd hoorde Jonas roodblauwe vogels krijsende geluiden maken. Ubu en Polly praatten zacht met elkaar. Na een uur lopen hielden ze halt. Ubu legde zijn vinger op zijn lippen en keek ernstig. Jonas begreep dat hij vanaf nu stil moest zijn, doodstil. Hij tilde zijn voeten hoog op, om geen sloffende geluiden te maken. Hij keek goed of hij niet op een takje trapte. Ook meester Eibokken liep met langzame, voorzichtige stappen. Zo slopen ze bijna onhoorbaar door het bos. Tot het geitje opeens angstig begon te mekkeren. 'Bèhèbèhèhè!'

Jonas keek geschrokken naar vader Ubu, maar die stelde hem gerust. Hij legde nogmaals zijn vinger op zijn lippen, sloop naar een dikke boom en bond het geitje daaraan vast. Toen dat gebeurd was, spreidde hij het net uit op de grond, gooide een touw over een hoge tak en ving het aan de andere kant weer op. Daarna wenkte hij Jonas, Polly en meester Eibokken dat ze met hem mee moesten lopen. Achter een paar dichte struiken hield hij stil.

'We gaan hier in de hinderlaag liggen,' legde meester Eibokken fluisterend aan Jonas uit. 'Als de roofkat op het geitje springt, trekken Ubu en zijn zoon het net omhoog. Dan komt het gevaarlijke. Als de roofkat ontsnapt, kan hij in de aanval gaan. Dan moeten wij hem neerschieten voor hij iemand te pakken krijgt. Maar verder stil, want roofkatten hebben een scherp gehoor. Ssst.'

Jonas zocht gauw een plekje. Tussen de bladeren door keek hij naar de plek waar geitje stond. Meester Eibokken keek juist naar de andere kant. De roofkat kan ook daarlangs komen, begreep Jonas. Hij huiverde. Het geitje begon weer angstig te mekkeren. 'Bèhèhè.'

Even later maakte Ubu een gebaar in de richting van een struikenbos. Eerst zag Jonas alleen de bladeren bewegen.

Toen kwam er, uit de struiken, de kop van een grote roofkat tevoorschijn. Het beest was geelbruin met zwarte spikkels. De ogen waren strak op het geitje gericht, de oren stonden rechtop. De roofkat sloop langzaam een klein stukje naar voren en drukte zich plat tegen de grond. Zo kroop hij, bijna onzichtbaar, stukje bij beetje naar voren. Het geitje trok het touw strak, maar keek niet naar de roofkat. Zou het nog niets gezien hebben, dacht Jonas. Hij zag dat de roofkat zich nog platter tegen de grond drukte. Het beest trok zijn achterpoten in en zette zich schrap. Maar net toen het met een reuzensprong naar voren wilde schieten, klonk uit de boomtakken een luid lawaai. Jonas schrok en keek omhoog. Een reusachtige zwarte gedaante kwam naar beneden en sprong boven op de roofkat. Andere grote gedaanten kwamen erachter aan. Jonas wilde gillen, maar hield zich nog net in.

'Gorilla,' mompelde Ubu. Jonas trok zijn pistolen en keek. Moest hij schieten of moest hij vluchten? Ubu gebaarde dat hij stil moest blijven zitten. Het geitje blèrde nu zonder ophouden, terwijl de zwarte gedaanten woeste geluiden maakten en met hun vuisten op de roofkat sloegen. Het zijn de reuzenapen, dacht Jonas. De reuzenapen waarover kapitein Ierland vertelde. De apen die met één ruk je hoofd eraf trekken en dan in hun boomtop naar luizen gaan zoeken. Hij voelde zich even slap van angst worden.
Ubu zag het en legde zijn vinger op zijn lippen. Stil, dacht Jonas. Ik moet stil zijn. Niet wegrennen. Niet met mijn tanden gaan klapperen. En zeker niet gillen. Stil moet ik zijn, stil. Dat is mijn enige kans op redding.

Pas toen het wilde geschreeuw minder werd, durfde Jonas weer te kijken. Het geitje was weg, de roofkat lag stil op de grond. De reuzenapen liepen kleine rondjes rond de boom en keken om zich heen. Dit duurde een flinke tijd. Daarna klommen ze een voor een weer de boom in.

Toen ze tussen de bladeren verdwenen waren, gebaarde Ubu dat ze weg moesten sluipen. Na de eerste stappen zou Jonas het het liefst op een lopen hebben gezet. Weg van hier, zo ver mogelijk! Hij hield zich met moeite in. Een stukje verder hield Ubu halt en begon met meester Eibokken te praten. Die knikte. Ubu verdween in de struiken. Jonas durfde nog steeds niets te zeggen. Hij dacht aan de enorme harige reuzenapen, die de roofkat hadden neergeslagen. Zouden ze hem hebben doodgemept? En wat nu? Zo snel mogelijk naar het schip, de zeilen hijsen en nooit meer terugkomen. Dat zou Jonas het liefste doen. Weg van dit woud vol monsters, hoe verder weg hoe liever.

Meester Eibokken speurde intussen de struiken om hen heen af, met zijn handen op de grepen zijn pistolen. Polly stond naast hem en hield de boomtoppen in de gaten. Gevaar kan hier van alle kanten komen, begreep Jonas. Links, rechts, voor en achter, niets was veilig. En van beneden? Hij dacht aan het verhaal over de bloeddorstige reuzenmieren, die het vlees van je kuiten scheurden. Dat was natuurlijk ook waar, net als van die riviermonsters en van de reuzenapen. Jonas keek naar de grond. Zouden ze recht onder zijn voeten zitten? Hij wilde achteruitstappen. Uit de struiken klonk een piepend geluid. Hij greep zijn pistolen en richtte.

'Ubu hier,' klonk een gedempte stem. Jonas liet zijn pistolen zakken. Toen klonk er opnieuw een piepend geluid, nu vlakbij.

Jonas sprong van schrik achteruit, struikelde en schoot in de lucht. Boven zijn hoofd klonk een hels gekrijs. Een zwerm

vogels fladderde omhoog en een dode papegaai viel omlaag, boven op Jonas zijn hoofd.
'Help!' gilde Jonas. Hij zwaaide met zijn armen door de lucht.
'Niet schieten,' zei meester Eibokken snel. 'Loos alarm!'
Jonas voelde dat de pistolen uit zijn handen werden getrokken. De papegaai werd van zijn gezicht gehaald en hij kon weer om zich heen kijken. Polly en meester Eibokken stonden naast hem. Ieder had een van Jonas zijn polsen stevig beet. Tegenover hem kwam Ubu uit de struiken. Met in zijn handen twee jonge roofkatjes. Ze waren bruingeel en bedekt met zwarte stippen. Op hun oren hadden ze grappige pluimpjes, die rechtop stonden. De diertjes keken angstig om zich heen en deden hun bekjes open.
'Piep, piep.'

Rond de middag zat Jonas weer in de kano, met op zijn schoot de twee jonge roofkatjes.

‘Goed vasthouden,’ waarschuwde meester Eibokken. ‘Ze zijn wilder dan je denkt.’
Terwijl meester Eibokken aandachtig naar het water keek, peddelden Ubu en Polly de rivier over. Bij het schip werden ze met luid gejuich ontvangen.

‘We kunnen naar huis mannen,’ riep Jabik Veenbaas. ‘Jonas heeft twee roofkatten op schoot!’
Aan boord van De Zilveren Nul kregen Ubu en Polly hun beloning uitbetaald. Ze wogen de zilveren munten op hun handen en keken tevreden. Ubu zei iets tegen meester Eibokken, die het voor kapitein Kwadraat vertaalde.
‘Als u nog eens terugkomt bent u altijd bij hen en hun familie welkom, kapitein.’
Kapitein Kwadraat keek trots. ‘Ik ben blij dat ik hun om hulp heb gevraagd, meester Eibokken. Ik had geen betere jagers kunnen treffen.’
Toen meester Eibokken dit vertaalde, keken Ubu en zijn zoon ook heel trots. Daarna gaven ze kapitein Kwadraat, meester Eibokken en Jonas een hand. Ze knikten naar de andere matrozen en klommen langs de touwladder terug naar hun kano.
Terwijl Jonas hen uitzwaaide, kwam er vanaf het fort een zeilschip dichterbij. Het had de Engelse vlag in top.
Toen het vlakbij was liep kapitein Kwadraat naar de zijboord en hield hij een beker wijn omhoog.
‘Terug naar huis?’ riep hij naar de stuurman. ‘Dan wens ik u een goede vaart!’
‘Nee, we gaan op jacht,’ riep de stuurman terug. ‘Verderop zit een beruchte kaper verborgen. Onze koning heeft een grote beloning op zijn hoofd gezet.’
Even kon je een speld horen vallen. Toen begon iedereen door elkaar te praten.

Hoofdstuk 11
Het verraad van Gijsbert Dirkson

'Dit is verraad,' zei Jabik. 'Alleen wij weten dat kapitein Ierland verderop aan land is gezet. Niemand anders kan dat weten.'
'Maar wie heeft dat dan gelapt?' vroeg Lommert.
Gijsbert, dacht Jonas meteen. Hij herinnerde zich dat hij Gijsbert gistermiddag op het pad naar het fort had zien lopen. Moest hij dit zeggen? Als hij Gijsbert verklikte, was hij dan niet ook een verrader? Hij keek naar het Engelse schip. Er stond weinig wind, zodat het maar langzaam vooruit kwam.
Als ik hardloop, ga ik sneller, dacht Jonas. Hij stapte meteen naar kapitein Kwadraat.
'Permissie, kapitein,' zei hij. 'Mag ik...'
Kapitein Kwadraat leek in de war door wat de Engelse stuurman zojuist geroepen had. Hij keek nadenkend naar het fort. Jonas herhaalde dat hij kapitein Ierland te voet wilde waarschuwen.
'Het is zeven mijl lopen,' zei kapitein Kwadraat. 'De Engelsen zullen je zeker zien.'
'Als ik achter de struiken blijf heb ik een kans,' zei Jonas. 'En voor de rivier is de zee ondiep. Het Engelse schip moet daar een flinke omweg maken.'
Kapitein Kwadraat knikte langzaam. 'Probeer kapitein Ierland te bereiken, maar verstop je in geen geval in het oerwoud. Ik ken de Engelsen, die hebben speurhonden bij zich. Loop samen met kapitein Ierland door de branding naar het noorden, dus van ons af.' Kapitein Kwadraat draai-

de zich om. 'Lommert, laat de touwladder zakken en breng de riemen naar de roeiboot. Jonas moet naar dat strand daar, aan de overkant van de rivier.'

Het eerste stuk rende Jonas zo hard hij kon. Het Engelse schip zeilde een flink stuk van het strand af om de zandbanken te vermijden. Jonas haalde het al snel in. Toen kreeg hij last van de zon, die hoog aan de hemel stond en recht op zijn hoofd brandde. Hij was al snel drijfnat van het zweet. Hij hijgde als een paard en zijn benen werden zwaar. Daarbij voelde zijn maag hol en draaierig. Onder het lopen zocht hij in zijn knapzak naar een banaan. Hij viste hem eruit en wilde er al rennend van eten, maar dat ging niet. Hij moest even stoppen, het kon niet anders. Niet te snel eten, hield hij zich voor. En niet teveel drinken. Een paar slokken is genoeg. Het kostte Jonas veel zelfbeheersing, maar toen hij verder holde was hij blij dat hij het zo gedaan had. Zijn benen kregen weer kracht en hij schoot lekker op. Toen hij een tijdje later opnieuw stopte om een paar slokken water te drinken lag het Engelse schip een flink stuk achter hem. Mooi zo, dacht Jonas. En verder ging hij weer, naar de plek waar kapitein Ierland aan land was gezet.

Toen Jonas bij de plek aankwam, keek hij rond. Hij wilde roepen, maar zodra hij zijn handen aan zijn mond zette, kwam er geluid uit de struiken.
'Sssst. Niet roepen. Dan schrikken de vogels.'
Jonas herkende de stem en rende naar het bos toe. Daar stond de kapitein, die hem verbaasd aankeek.
'Wist je dat de vis klaar was of kom je voor iets anders?'
Jonas zag een klein vuurtje waarboven een grote vis hing te roosteren.

‘De Engelsen,’ hijgde hij. ‘Ze komen eraan! U bent verraden, kapitein!’
Kapitein Ierland glimlachte en knikte naar het strand.
‘De wind is stilgevallen,’ zei hij. ‘Kijk maar.’
Op het Engelse schip werden de zeilen ingehaald.
‘Ze gaan voor anker,’ zei kapitein Ierland. ‘Het waaide vanochtend al bijna niet, en nu valt de wind helemaal weg. Maar morgenochtend zullen ze zeker hierheen komen. Engelsen zijn vasthoudende jagers, die geven niet op.’
‘Maar als ze zien dat hier niemand meer is, gaan ze dan niet terug?’
Kapitein Ierland schudde zijn hoofd.
‘Die gaan het hele bos doorzoeken, geloof mijn woorden. Ik heb gisteren een hutje gebouwd en vandaag heb ik bananen en kokosnoten geplukt. Overal lopen hier sporen van

mij. We moeten wachten tot het donker is en dan door de zee verder lopen. Zo laten we geen sporen na. Maar wees mijn gast en eet en drink wat. Je zult wel trek hebben.'
Jonas nam een stuk vis en vertelde over de watermonsters en het enorme dier met de lange nek.
90 'Dat zijn krokodillen, nijlpaarden en giraffen,' zei kapitein Ierland. 'Giraffen doen je niks, behalve als ze jongen hebben. Maar met die krokodil hebben jullie geluk gehad. Vaak genoeg sleuren ze een volwassen man de rivier in. Daar wordt dan nooit meer iets van teruggevonden.'
Jonas voelde zijn kuiten steken en zijn voetzolen branden. Hij strekte zijn benen en trok een pijnlijk gezicht.
'Gaat het wel?' vroeg kapitein Ierland bezorgd. 'Kan je zelf lopen of moet ik je straks op mijn rug dragen?'
Jonas haalde zijn schouders op. 'Ik ga het proberen,' zei hij. Hij keek naar de zon. 'Voor het donker is kan ik nog een uurtje rusten.'
Kapitein Ierland glimlachte. Hij gooide zand op het vuurtje om de vlammen te doven.
Terwijl ze naar de ondergaande zon keken, vroeg kapitein Ierland een paar dingen over de rekenlessen van kapitein Kwadraat.
'Dat had ik eerder moeten weten,' zei hij toen het donker werd. 'Dat had mij een hoop narigheid gescheeld.' Hij stond op en sloeg het zand van zijn kleren. 'We gaan,' zei hij. 'Loop achterstevoren tot je bij zee bent, Jonas. Om ze op een dwaalspoor te brengen, snap je?'
Die nacht liepen Jonas en kapitein Ierland aan één stuk door. Toen de volgende ochtend de zon opkwam, stapten ze uit het water en zochten ze achter de struiken naar een boom die voldoende schaduw gaf. Daar ging Jonas liggen en hij viel meteen in slaap.

Jonas werd wakker van een schel geluid vlak boven zijn hoofd. Hij deed zijn ogen open. Op een boomtak zaten twee bontgekleurde vogels die luid kabaal maakten. Toen Jonas overeind kwam, fladderden ze krijsend weg.
'Je hebt goed geslapen,' grinnikte kapitein Ierland. 'Je bent een dag en een nacht in dromenland geweest.'
Jonas keek verbaasd.
'Het is ochtend,' zei de kapitein. 'Gistermiddag waren de Engelsen hier vlakbij. Ze zijn achter ons aangekomen, maar toen ze vlakbij waren keerden ze om. Ik kon hun schip tussen de struiken door zien. Ik heb geluk gehad.' Kapitein Ierland keek hem nadenkend aan. 'Hoe wisten ze dat ik hier verstopt zat?' vroeg hij voorzichtig. 'Heeft iemand mij...'
Jonas aarzelde. Zou hij zeggen dat Gijsbert Dirkson bij het fort was geweest?
'Je hoeft niet te zeggen wie het is,' zei kapitein Ierland. 'Maar is het iemand van jullie schip?'
'Het moet haast wel,' zei Jonas. 'Maar helemaal zeker weet ik het niet. Toen ik op de markt was heb ik iemand die op wacht stond uit de richting van het fort zien komen. Dat is alles.'
Kapitein Ierland knikte. 'Dat is een aanwijzing,' zei hij. 'Maar geen bewijs.' Hij gaf Jonas een banaan. 'Je zult wel honger hebben, na al dat lopen.'
Toen Jonas de banaan op had, klapte kapitein Ierland in zijn handen. 'Het is vloed, we moeten gaan vissen,' zei hij. 'Anders eten we de hele dag bananen en daar word je slap van.'

Hoofdstuk 12
Terug aan boord

Later die middag kwam er een schip aan de horizon. Kapitein Ierland wilde zich verstoppen, maar Jonas herkende De Zilveren Nul uit duizenden.
'Het is kapitein Kwadraat,' zei hij. Hij pakte een lange boomtak en knoopte zijn hoofddoek eraan vast. Daarmee liep hij naar de vloedlijn en begon te zwaaien. Het werd meteen gezien. Het schip draaide naar het strand en aan de zijboord werd de roeiboot naar beneden gelaten. Twee matrozen klommen langs de touwladder naar beneden en roeiden het bootje naar het strand.
Aan dek leek kapitein Kwadraat opgelucht dat alles goed was afgelopen. Hij klopte Jonas wel drie keer op de schouder en ook kapitein Ierland werd hartelijk verwelkomd.
Jonas kreeg ook schouderklopjes van Baltus Baltus, van IJsbrandt, van Lommert Knoest, van Krijn, van meester Eibokken en van de andere matrozen.
'Welkom aan boord, Jonas,' brulde Jabik Veenbaas uit het kraaiennest.
Maar waar was Gijsbert?
Krijn gaf het antwoord. 'Hij zit voor straf in het ruim, tussen de beestenkooien,' vertelde hij terwijl Jonas een kom soep at. 'Toen jij aan land was gegaan om kapitein Ierland te waarschuwen, liet onze kapitein de scheepskist van Gijsbert doorzoeken. Daar zaten twintig zilveren munten in, met de opdruk van de Engelse koning. Kapitein Kwadraat liet de munten meteen naar het fort terugbrengen. Hij deed er een brief bij voor de commandant, waarin stond dat Gijsbert

een fantast was en een leugenaar. De commandant schreef een nijdig briefje terug, omdat hij nu voor niets een schip had uitgestuurd om een zeerover op te pakken. Maar verder deed hij gelukkig niets. Kapitein Kwadraat wilde Gijsbert voor straf een tatoeage geven, maar dat was moeilijk. Hij had al een staartdeling op zijn rug en op zijn armen had hij de tafels van elf en dertien compleet. Nog meer tatoeages pasten er eigenlijk niet op. Toen gaf kapitein Kwadraat een heel andere straf. Gijsbert moet de dieren verzorgen die in de kooien in het ruim zitten. Daar zitten engerds tussen! Pffff.'

Krijn rilde.
'Vreselijke dieren,' zuchtte hij. 'Een soort varkens die onder de grond leven. Ze hebben enorme slagtanden, rode ogen en overal kale plekken en zweren waar harde korsten op zitten. En op hun voorhoofd hebben ze wratten waaruit dik geel stekelhaar groeit. Brrrr.' Krijn rilde nog een keer. 'Die zitten hier vlak onder,' wees hij.
'Die beesten heb ik al gezien heb,' zei Jonas. 'Op de markt. Maar als het ruim vol dieren zit, waarom hoor ik dan niets?'
'Omdat de dekluiken dicht zijn,' zei Krijn. 'De beesten zitten in het donker en denken dat het nacht is. Daarom is het rustig. Kijk, daar gaat een luik open. Hou je handen maar op je oren, Jonas. We praten straks verder.'

Krijn had gelijk. Zodra het zonlicht in het ruim viel, barstte er een orkaan van gekrijs, gebrul en gehinnik los. Door het luik kwam Gijsbert het dek op. Toen hij het luik achter zich dichtdeed, werd alles op slag weer rustig.
'Ik heb een emmer en een schrobber nodig,' zei Gijsbert tegen de bootsman. 'De zebra's hebben gekakt en een chimpansee heeft diarree.'

Een paar matrozen begonnen te grinniken. De bootsman bleef ernstig en zei dat Gijsbert de spullen mocht pakken die hij nodig had.
'Bootsman,' zei Gijsbert toen hij met een schrobber en een emmer naar het luik liep, 'denkt u aan het drinkwater? De herten en de zebra's drinken met emmers tegelijk. Ik denk dat er onderweg extra drinkwater aan boord gehaald moet worden.'
Toen Gijsbert het luik opentrok, barstte er opnieuw een kakofonie van gekrijs en gehinnik los. Jonas keek Krijn verbaasd aan. Wat was er met Gijsbert aan de hand?
Nooit voerde hij een klap uit, en nu... Hij wilde het vragen, maar kwam niet boven het lawaai uit. Vanuit het ruim klonk luid gebonk en schel geschreeuw. Krijn wenkte hem om naar het achterschip te gaan.

Daar zorgde de wind ervoor dat het ergste lawaai de andere kant op waaide.
'De apen hebben het op hun heupen,' zei Krijn. 'Die slopen het schip nog een keer, let op mijn woorden.'
'Waarom doet Gijsbert het luik niet dicht?' vroeg Jonas.
'Dat kan niet,' antwoordde Krijn. 'De dieren moeten eten en in het donker doen ze dat niet en dan gaan ze dood. Dat zegt Gijsbert tenminste. Ze moeten elke dag een paar uur licht hebben.'

Samen met Krijn luisterde Jonas nog een tijdje naar het geraas en het gebrul dat uit het ruim kwam. Daarna kwam kapitein Kwadraat hem halen. Het was bijna twaalf uur, hoogste tijd om met het kwadrant te oefenen!

Die middag moest Jonas zich sufrekenen voor een nieuwe stuurmansles. Het ging om graden, minuten en seconden. Hij raakte eerst telkens in de war, omdat een horloge ook met minuten en seconden rekende. Maar dit was geen horloge, dit was meetkunde.
'Een klok is rond en een cirkel is ook rond,' zei kapitein Kwadraat. 'En een cirkel heeft 360 graden.'
En mijn hoofd is ook rond, dacht Jonas aan het eind van de middag. En doet vreselijk pijn.
Hij was opgelucht toen kapitein Kwadraat kwam zeggen dat het voor vandaag genoeg was geweest.
'Morgen gaan we verder, Jonas. Kennis is als wijn: je moet het in kleine beetjes tot je nemen, anders gaat het grotelijk mis.'
Bij de grote mast zaten de matrozen met hun handen voor hun oren. Ze wachtten op het avondeten en keken naar het openstaande luik. Toen Gijsbert uit het ruim kwam, keken ze opgelucht. En toen het dekluik dichtklapte, haalden ze hun handen bij hun oren weg.
'Hèhè,' zuchtte Baltus Baltus. 'Kunnen we elkaar weer verstaan. Eindelijk.'
Toen Gijsbert naar de stuurhut liep en belet vroeg bij de kapitein, schudde Baltus zijn hoofd.
'Ik snap er niks van,' mompelde hij. 'Altijd liep hij de kantjes ervan af, en nu...'
'Zeuren, luieren en anderen dwarszitten,' zei Lommert Knoest. 'Ik heb hem nooit een slag werk zien doen, ik zweer

het. En nu staat hij te zwoegen dat de stukken eraf vliegen.'
'Ik snap er ook niks van,' zei Jabik. 'Hij lijkt wel een ander mens.'
'Nou ja,' zei Lommert. 'We zijn pas een dag onderweg en Gijsbert moet het nog twee weken volhouden. Laten we eerst maar eens kijken of hem dat lukt.'

Terwijl de zon onderging, deelde IJsbrandt kommen met rode bonen, uien en krokodillenvlees uit. Een paar matrozen vertrouwden het niet erg. Ze keken bedenkelijk en draaiden de stukjes vlees met hun lepels om.
'Het smaakt als kip,' zei Krijn, die als eerste een hap durfde nemen.
Jabik Veenbaas nam een voorzichtig hapje, maar schepte daarna een grotere lepel op. 'Het is nog lekker ook,' zei hij.
'Pas maar op,' zei Baltus Baltus. 'Straks krijg je overal grote groene schubben.'
Jabik haalde zijn schouders op. 'Als je kip eet, krijg je toch ook geen veren?'
Baltus knikte, haalde diep adem en nam een hap. 'Jullie hebben gelijk,' zei hij. 'Dit smaakt goed.'
Toen de kommen leeg waren, deelde IJsbrandt kroezen bier uit.
'Op de terugreis,' proostte Lommert. 'Dat we veilig thuis mogen komen.'
Het luik ging open en Gijsbert kwam het dek op. Dit keer bleven de dieren stil, omdat het donker geworden was.
'Kan ik een stuk brood en drinken krijgen,' vroeg hij aan IJsbrandt. 'Ik val bijna om van honger.'
Krijn sprong overeind. 'Ik haal wel,' zei hij. 'Als er nog wat in de pan zit.'
IJsbrandt knikte. 'Ik heb voor twee dagen gemaakt,' zei hij.

'Schep maar flink op.'
Gijsbert schrokte zijn eten naar binnen en stond op. 'Nog even de zwijnen verschonen,' zei hij. Daarna keek hij naar IJsbrandt. 'Dat boek over wilde dieren,' vroeg hij. 'Staat daar iets in over roofkatten?'
IJsbrandt knikte. 'Er is een plaat van,' zei hij. 'De katten heten luipaarden. Ze eten vlees en vogels.'
Gijsbert keek bezorgd. 'Ze zijn nog jong,' zei hij. 'Ik denk dat gehakt het beste voor ze is. Maar eh...' Gijsbert aarzelde even. 'Ik zou dat boek graag willen lezen,' zei hij. 'Maar ik kan niet lezen. Wil jij misschien af en toe een stuk aan mij voorlezen?'
IJsbrandt aarzelde. 'Eh... als ik daar tijd voor zou hebben. Maar...'
'Als ik nou 's ochtends help met uien snijden,' stelde Gijsbert voor. 'En terwijl ik dat doe lees jij mij voor. Dan kan het toch?'
IJsbrandt wist zich even geen raad. Hij wapperde met zijn handen en krabde op zijn hoofd.
'Ja toch?' drong Gijsbert aan.
'Ja, dan kan het,' zei IJsbrandt. 'Als je tenminste snel genoeg werkt.'
'Dus het kan,' zei Gijsbert. 'Dan zie ik je morgenvroeg. Goedenacht.'
De matrozen waren te verbaasd om terug te groeten.
'Asjemenou,' fluisterde Baltus Baltus toen het dekluik achter Gijsbert dichtviel. 'Het lijkt wel of hij betoverd is.'

Hoofdstuk 13
Het drinkwater raakt op

Na vier dagen zeilen kwamen er eilanden in zicht.
'Dat zijn de Canarische Eilanden,' meldde de stuurman.
'We moeten water halen,' zei de bootsman. 'Gijsbert zegt dat hij tenminste vijf vaten nodig heeft, maar het hoeft geen schoon drinkwater te zijn. Hij zegt dat de dieren gewend zijn aan modderig water.'
Kapitein Kwadraat schudde zijn hoofd. 'Deze eilanden zijn van Spanje,' zei hij. 'Als die ons zien, sturen ze onmiddellijk hun oorlogsschepen op ons af.' Hij draaide zich naar kapitein Ierland.
'Zijn alle eilanden bewoond?'
Kapitein Ierland schudde zijn hoofd. 'Een paar kleine eilandjes niet,' zei hij. 'Maar die liggen allemaal vlak bij de grote eilanden.' Hij dacht even na. 'Voorbij de Canarische eilanden liggen wel een paar onbewoonde eilanden. De Portugezen noemen ze *Ilhas Selvagens*, dat betekent: de woeste eilanden.'
'Waarom woont er niemand?' vroeg de stuurman.
'Er zijn veel rotsen en er is niet genoeg water,' zei kapitein Ierland. 'Er is geen enkele rivier, er zijn alleen wat poelen waarin regenwater staat. Bomen zijn er ook niet, het enige wat er groeit zijn struiken en wilde bloemen.'
'En is het ver?'
Kapitein Ierland schudde zijn hoofd. 'Met deze wind zijn we er in een paar dagen.'
Kapitein Kwadraat en de stuurman keken elkaar aan.
'Laten we het proberen,' zei de stuurman.

Twee dagen later gaf kapitein Kwadraat bevel de roeiboot overboord te zetten. 'Jonas en Lommert Knoest, jullie gaan water halen.'
'Permissie,' zei kapitein Ierland. 'Maar rond dit eiland zijn veel scherpe rotsen. Ik weet hoe je het best kan roeien. Ik weet ook waar de rotspoelen te vinden zijn. En als ik u raad mag geven: laat een vislijn uitgooien. De laatste keer dat ik hier was had ik een heel goede vangst.'
Het was rustig weer. Jonas en kapitein Ierland klommen langs de touwladder naar beneden en roeiden naar het eiland. Toen de roeiboot tussen twee onderzeese rotsen doorgleed, zag Jonas een school tonijnen zwemmen.
'Verderop is een ondiepte,' zei kapitein Ierland. 'Daar kunnen we aan land. Hier is de oever te steil.'
Jonas keek om. Tussen de bruinrode rotsen groeiden bloemen. Een zwerm vogels vloog krijsend de lucht in. Op het schip werd geroepen. Jonas zag dat Jabik bij de zijboord stond en zijn vislijn binnenhaalde. Toen stuurde kapitein Ierland de roeiboot achter een rots en verdween De Zilveren Nul uit het zicht.

Het pad dat kapitein Ierland aanwees was niet steil, maar wel erg hobbelig. Ze droegen ieder een houten vaatje en liepen tussen manshoge rotsblokken.
'Ik hoop dat het hier pas geregend heeft,' zei de kapitein. 'Anders moeten we naar de volgende bron. En die is helemaal aan de andere kant van het eiland.'
'Is het nog ver?' vroeg Jonas.
Kapitein Ierland wees naar een paar roodgele struiken.
'Achter die struiken is een rotskuil.'
Toen ze dichterbij kwamen zag Jonas een paar geiten in paniek wegrennen.

'Ik denk dat we geluk hebben,' zei kapitein Ierland. 'Die geiten kwamen om te drinken. Dat doen ze niet als de kuil droogstaat.'
Er stond inderdaad een flinke laag water in de kuil. Het leek Jonas goed drinkwater, al schrok hij wel van een paar slangen die erin zwommen.

'Die slangen doen niets,' zei kapitein Ierland. 'We kunnen rustig de vaatjes volscheppen.'
Onder het scheppen praatte kapitein Ierland over de vorige keer dat hij hier was. 'We waren op de vlucht voor de Engelse marine,' zei hij. 'Ons schip was door kanonskogels geraakt en het zonk bijna. We hebben het schip toen op de rotsen laten vastlopen en zijn met een sloep naar het eiland geroeid. De Engselen staken ons schip in brand en zeilden verder. Die dachten dat we hier niet meer weg konden. Maar we zijn met de sloep naar Ierland geroeid. Twee weken roeien, aan één stuk. Ik voel de blaren weer in mijn handen springen, als ik eraan terugdenk. Sjonge, wat een barre tocht was dat.'
'Kunt u in Ierland wel aan land komen?' vroeg Jonas.
'Alleen in het zuiden,' zei kapitein Ierland. 'Tussen de Baai van Bantry en het Bulderwater ben ik veilig. In de rest van Ierland zijn de Engelsen de baas.'
'Waarom daar dan niet?' vroeg Jonas. 'De Engelsen zijn toch heel machtig?'
Kapitein Ierland grinnikte. 'Omdat het er spookt,' zei hij. 'En de Engelsen zijn inderdaad machtig, maar ze zijn ook heel bijgelovig. Bijna net zo bijgelovig als wij Ieren zijn.'
'Gelooft u dan in spoken?' vroeg Jonas.
'In spoken niet,' antwoordde kapitein Ierland. 'Maar wel in banshees, dat zijn boosaardige dwergen. En in leprechauns, die zijn nog erger. En natuurlijk in vloeken, die op sommi-

ge mensen rusten. Die zijn het ergste, want je kan er niet voor weglopen. Banshees zwerven in het donker door de bossen en leprechauns door de bergen. Als je 's nachts binnen blijft, kunnen ze je niets doen. Maar een vloek neem je mee, waar je ook bent.'
'Heeft u daarom altijd pech,' vroeg Jonas. Hij had zijn vaatje vol en duwde het deksel erop.
'Ik heb niet altijd pech,' zei kapitein Ierland. 'Ik heb alleen pech als er anderen bij zijn. In mijn eentje heb ik altijd geluk.' Hij ging rechtop staan en drukte het deksel op het vat. 'Nu gauw terug naar de roeiboot,' zei hij. 'Want we hebben nog twee vaatjes die vol moeten.'

Toen Jonas en kapitein Ierland bij de roeiboot waren, wilden ze meteen terug gaan. Kapitein Ierland pakte een leeg vaatje en stapte aan land. Van achter een rots klonken geluiden. Stenen die tegen elkaar stoten, dacht Jonas. Niks bijzonders. Maar kapitein Ierland legde zijn vinger op zijn lippen. Jonas hoorde opnieuw een geluid van rollende stenen. Kapitein Ierland pakte de roeispanen en duwde de boot van de kant af. Hij wees Jonas dat hij ook een roeispaan moest pakken. Toen ze naast elkaar zaten, roeiden ze stilletjes zover mogelijk van de rotskust weg. Jonas zag een zwarte hoed achter de rotsen vandaan komen. Onder de hoed zag hij een gezicht met een lange baard.
'Verdorie,' mompelde kapitein Ierland. 'Dat is Zacharias Hooij. Hoe komt die nu weer hier?'
'Mannen, grijp ze!' schreeuwde de man met de hoed. 'Laat ze niet ontsnappen! Die roeiboot is onze enige kans!'
Achter Zacharias Hooij kwamen mannen tevoorschijn. Ze zagen eruit als een stel zwervers, met kapotte kleren en gedeukte hoeden.

'Stenen gooien, mannen,' riep Zacharias Hooij. 'We moeten die boot hebben!'
Jonas en kapitein Ierland hoefden nu niet meer stilletjes te roeien. Ze bogen voorover en sleurden met al hun kracht de spanen door het water.
'Bukken Jonas,' riep kapitein Ierland.
Jonas bukte, net op tijd. Een scherpe kei suisde rakelings langs zijn hoofd.
'Kapitein, zoek dekking,' riep Jonas. Aan land flitste iets op. Er klonk een knal en de hoed van kapitein Ierland vloog van zijn hoofd.
'Doorroeien Jonas,' riep kapitein Ierland. 'Nog een paar flinke slagen! Dan kunnen ze ons met stenen niet meer raken!'
Jonas beet op zijn tanden en trok weer aan de roeispanen. De boot schoot vooruit, maar was het genoeg? Hij keek angstig naar de zeerovers. Die begrepen dat ze snel moesten zijn. Ze slingerden de ene kei na de andere naar de boot. Links en rechts spatte het water op. Toen zag Jonas een enorme kei recht op kapitein Ierland afkomen. Die zat gebukt en kon niet nog verder wegduiken. Jonas bedacht

zich geen moment. Hij tilde zijn roeispaan op en sloeg ermee naar de kei. De boot schommelde, maar de spaan raakte de kei. Die maakte een boog en vloog over kapitein Ierland heen. Jonas ging meteen weer zitten. Hij zette zich schrap en sleurde wat hij kon. Zacharias Hooij had zijn pistool opnieuw geladen en richtte.

'Platliggen Jonas,' riep kapitein Ierland. Jonas liet zich languit achterover vallen. Hij hoorde een knal en een fluitend geluid. Meteen daarna schoot kapitein Ierland overeind.
'Dit is onze kans,' riep hij. 'Kom op Jonas, zo snel mogelijk voorbij die rotspunt. Dan kan hij ons niet meer raken!'
Jonas liet de roeispaan in het water plonzen en trok hem naar zich toe. Nog drie slagen, nog twee...
De boot passeerde de rotspunt.
'Gered,' zuchtte kapitein Ierland. Hij knikte Jonas goedkeurend toe. 'Zie je wel dat ik niet altijd pech heb? Vandaag had ik geluk. Dat jij naast me zat.'
Jonas haalde een paar keer diep adem. Toen begon hij opgelucht te grinniken. Daarna roeiden ze op hun gemak terug naar De Zilveren Nul. Toen Jonas aan boord klom, was hij nog steeds opgelucht dat dit avontuur goed was afgelopen. Toen zag hij de bezorgde blik van de bootsman.
'Maar twee vaatjes?' vroeg hij. Hij schudde zijn hoofd.
'Het is meer dan niks,' zei hij langzaam. 'Maar of het genoeg is?'

Hoofdstuk 14
Apen kooien

'Ik moet bekennen dat ik niet goed weet wat ik moet doen,' zei kapitein Kwadraat. 'Meester Eibokken, weet u raad?'
Daarna keek hij naar boven. Hoog in de mast zaten twee chimpansees. Ze trokken aan de knopen en katrollen en beten op de touwen waaraan de zeilen vastzaten.
'Die moeten daar zo gauw mogelijk weg,' zei de bootsman. 'Straks storten de zeilen naar beneden. Of een stuk van de dwarsmast, dan zijn we helemaal in de aap gelogeerd.'
Uit het dekluik kwam Gijsbert tevoorschijn. Hij keek verward en zocht daarna het dek af.
'Ze zitten bovenin,' zei Lommert Knoest.
De bootsman liep naar Gijsbert toe. 'Die chimpansees bijten de touwen stuk,' zei hij. 'Ze moeten terug in hun kooien, en snel ook.'
'Ze... ze hebben de kooi opengemaakt,' stotterde Gijsbert. 'Ik wilde de kooi schoonmaken toen ze opeens tussen mijn benen door doken.'
'Dat snap ik,' zei de stuurman. 'Maar kan je die apen weer kooien?'
Gijsbert keek naar de top van de grote mast. De chimpansees frunnikten aan een knoop.
'Opzij!' brulde Lommert Knoest.
Een seconde later viel er een katrol naar beneden, boven op de voet van kapitein Ierland. Die gaf een schreeuw van pijn en hinkte over het dek. Meester Eibokken kwam aanrennen, zijn verbandkist onder zijn arm.
'Ga die apen kooien,' zei de stuurman kortaf tegen Gijsbert.

'Zo snel mogelijk. Dit is een bevel!'
'Pas op mannen,' riep Lommert Knoest. 'Daar komt er nog een naar beneden!'

Jonas keek met open mond naar de grootste chimpansee. Die wandelde op zijn gemak over de ra. Aan het uiteinde krabde hij even op zijn kop en keek hij naar de zee diep beneden hem. Toen sprong hij omlaag, greep zich met zijn linkerhand vast aan een touw en zeilde schuin daarlangs naar de mast terug. Gijsbert sloeg zijn handen voor zijn ogen.
'Er is niks aan de hand,' zei Jonas. 'Kijk maar, hij zit gewoon op de dwarsmast.'
Gijsbert keek door zijn vingers naar boven. Toen hij zag dat er inderdaad niets ernstigs was gebeurd, haalde hij zijn handen voor zijn gezicht weg. Meteen daarna stortte er een zeil naar beneden.
'Gijsbert!' De stem van kapitein Kwadraat klonk over het dek. 'Dit moet ophouden. Die dieren maken de zeilen en de tuigage kapot. Ze moeten daar weg, is het niet levend, dan dood.'
'Dood?' Gijsbert keek met grote angstogen naar kapitein Kwadraat. 'Ik... ik ga mijn best doen, kapitein. Maar maakt u ze niet dood, alstublieft. Hyacinthia en Duppie zijn heel lieve dieren, echt waar.'
'Hyacinthia en Duppie?'
'Ja, zo heb ik ze genoemd. En ze luisteren al een beetje naar hun namen.'
Gijsbert keek naar de top van de grote mast en zette zijn handen aan zijn mond. 'Hyacinthia! Duppie!'
De apen keken meteen naar beneden. 'Woeha, woeha,' schreeuwde de grootste.

‘Dat is Duppie,’ zei Gijsbert. ‘En de kleinste is Hyacinthia.’

Kapitein Kwadraat keek Gijsbert ernstig aan. Daarna keek hij op zijn horloge. ‘Je hebt een uur,’ zei hij. ‘Voor het donker wordt moeten ze binnen zijn, anders liggen we de hele nacht stil. Dan krijgen we opnieuw problemen met drinkwater, want we hebben maar twee vaten aan boord gehaald en die zaten niet eens vol.’

Gijsbert slikte. Daarna haalde hij diep adem en keek naar de mannen op het dek. ‘Wil iedereen naar het achterdek gaan,’ riep hij. ‘Uit het zicht, want ze zijn bang voor jullie!’

De matrozen mompelden wat, maar ze deden wat Gijsbert vroeg.

Vanaf het achterdek zag Jonas dat Gijsbert naar de top van de grote mast klom. Toen hij boven was slingerden de apen naar de voorste mast en verdwenen ze uit het zicht. Daarna verdween Gijsbert uit het zicht, omdat hij weer naar beneden klom. Jonas hoorde dat Gijsbert vreemde geluiden maakte. ‘Woe, woe, woe,’ en ‘woeha, woeha, woeha!’

Daarna zag hij de apen weer naar de top van de grote mast klimmen. Gijsbert klom er achteraan, waarbij hij doorging met vreemde geluiden maken. Zodra hij boven was, doken de twee apen weer naar beneden. Dit ging zo nog een tijdlang door. Af en toe kwamen de apen in zicht en vlak daar-

na zag je Gijsbert achter hen aan komen. Maar zodra Gijsbert in de buurt kwam slingerden de apen weer naar beneden.
Kapitein Kwadraat keek op zijn horloge. De stuurman zuchtte. 'Hij zet wel door, kapitein. Als iemand mij dit vorige week over Gijsbert verteld zou hebben, had ik hem niet geloofd.'

'Hij is helemaal veranderd,' zei de bootsman.
Jonas liep naar de zijboord en probeerde of hij op het dek kon kijken. Dat lukte half, en hij moest er flink voor buitenboord hangen. Maar wat hij zag was zo verbazingwekkend, dat hij alle gevaar vergat. Gijsbert stond op het dek. De twee chimpansees zaten op een dwarsmast vlak boven hem.
'Woe, woe, woe,' riep Gijsbert, en hij maakte een koprol. Daarna hupte hij op handen en voeten een rondje om het dekluik en riep 'woeha, woeha, woeha!'
De twee apen sprongen van de dwarsmast op het dek en deden hem na.
'Woe, woe, woe!'
Gijsbert maakte opnieuw een koprol, hupte naar het dekluik en zette het open.
De apen deden hem weer na en gingen naast Gijsbert voor het openstaande luik zitten.
Jonas hield zijn adem in. Zou het Gijsbert lukken om de dieren in hun kooien te krijgen?
'Woeha, woeha,' riep Gijsbert, en hij hupte door het luik naar binnen.
'Woeha, woeha, woeha,' schreeuwden de apen toen ze achter hem aan sprongen.
'Gelukt!' schreeuwde Jonas, die van vreugde zijn handen in de lucht stak. Meteen daarna verloor hij zijn evenwicht.
'Man overboord!' schreeuwde de bootsman.

Hoofdstuk 15
De droom van de drenkeling

Jonas droomde. In zijn droom liep hij over de oever van een brede rivier. Uit het water schoot opeens een enorme bek die wijdopen stond en recht op hem afkwam. Jonas wilde wegrennen, maar dat ging niet. Zijn benen voelden loodzwaar en zijn spieren deden niet wat hij wilde. Rennen, dat wilde hij. Maar hij stond stil en de monsterlijke bek kwam snel dichterbij en... hap! Jonas was in één hap verzwolgen. Hij lag languit in de bek van het monster. Alleen zijn handen staken over de zijkanten uit. Toen het monster zijn bek dichtdeed werden zijn handen afgebeten en vielen ze in het zand. Jonas zag ze liggen. Hij wilde ze oprapen, maar dat ging niet want hij zat helemaal klem in de monsterlijke bek. Naast zijn hoofd zag hij vlijmscherpe tanden. Links en rechts van zijn knieën zat een enorme slagtand. Jonas wilde de bek openduwen maar hij kon zijn armen niet bewegen. Hij trok zijn knieën op en duwde met zijn voeten. Hij zag een klein straaltje licht, maar dat duurde maar even. Toen werd alles weer donker en hoorde hij in de verte een zacht gemompel.

'...1 x 7 = 7
2 x 7 = 14
3 x 7 = 21...'

Het gemompel stierf langzaam weg en Jonas liep weer over de rivieroever. Hij gooide een houten kegel in het langsstromende water. Terwijl hij met de kegel meeliep, telde hij de seconden op het horloge dat om zijn nek hing. Een, twee, drie vier, vijf, zes, zeven... Na tien seconden had de houten kegel vier stappen afgelegd. Jonas rekende. Een minuut heeft 60 seconden, dat is 6 x 10 seconden. 6 x 4 stappen is 24 stappen. De kegel dreef dus met een snelheid van 24 stappen per minuut. Dat is 24 stappen x 60 per uur, want in een uur gaan 60 minuten. Hoeveel is 24 x 60? Hoeveel is 24 x 60? Hoeveel is 24 x 60? Terwijl Jonas wanhopig nadacht hoorde hij opnieuw gefluister om zich heen. Gefluister dat langzaam luider werd.

'5 x 7 = 35, 6 x7 = 42, 7 x 7 = 49, 8x7 = 56, 9 x 7 = 63, 10 x 7 = ...'

'Zeventig,' mompelde Jonas.

Er klonk een luide zucht.

'Hij komt bij, gelukkig.'

'Jonas? Ben je er weer?'

'Hallo!'

Jonas deed zijn ogen open. Boven zich zag hij de gezichten van Lommert, Krijn en meester Eibokken.

'Wat... wat...' stamelde Jonas. Zijn keel voelde droog.
'Je bent overboord gevallen,' zei meester Eibokken. 'Jabik Veenbaas heeft je gered.'
Jonas hoestte. Meester Eibokken gaf hem een beker. 'Hier, drink wat,' zei hij. 'Warme wijn met suiker. Dat zal je goed doen.'

Jonas nam een voorzichtig slokje. De warmte deed hem inderdaad goed. Het droge gevoel verdween uit zijn keel.
'Je ligt hier al drie uur,' zei Lommert. 'We waren bang dat je niet meer bij zou komen. Maar nu ben je weer terug.'
'Weer terug,' mompelde Jonas. Hij zakte even in gedachten weg. Daarna ging hij rechtop zitten en vroeg hij om de kapitein.

Toen kapitein Kwadraat de ziekenboeg binnenkwam, keek hij verheugd en verwonderd tegelijk. Hij was duidelijk blij dat Jonas weer bij kennis was. Maar wat zou Jonas hem willen vertellen?
'Permissie, kapitein,' zei Jonas met een beetje zwakke stem. 'Maar ik heb voor ik wakker werd een rare droom gehad. Ik gooide een kegel in het water van de rivier. Ik liep met de kegel mee en telde de seconden. En zo kon ik uitrekenen hoe snel de kegel stroomde. Maar dat kan ook op een schip. Als ik een kegel bij de voorsteven overboord gooi, bedoel ik. Dan tel ik hoe lang het duurt voordat het schip de kegel heeft ingehaald. En als ik dan weet hoe lang het schip is, kan ik uitrekenen hoe snel het vaart.'
Kapitein Kwadraat keek Jonas verbijsterd aan. 'Heb je dat gedroomd?'
Jonas knikte. 'Ik droomde eerst dat iemand de tafel van zeven in mijn oren fluisterde. En daarna droomde ik van de kegel.'

‘Dat waren wij twee,’ zei Lommert Knoest, terwijl hij naar Krijn wees. ‘Wij hielden hier de wacht en zegden telkens de tafel van zeven op.’
‘Dat is onze gelukstafel, kapitein,’ zei Krijn.
Kapitein Kwadraat zei dat hij dat al eerder gehoord had. Hij keek Jonas nadenkend aan.

‘Volgens mij heb je gelijk,’ zei hij langzaam. ‘Laten we het uitproberen. Waarschuw mij als je weer stevig op je benen staat.’
Jonas wilde meteen van de strozak klimmen, maar meester Eibokken hield hem tegen.
‘Eerst een kom warme soep,’ zei hij. ‘Krijn, loop even naar IJsbrandt. Zeg maar dat onze drenkeling weer bij kennis is.’
Terwijl Jonas wachtte, hoorde hij aan dek mannen juichen.
‘Jabik, goed nieuws,’ schreeuwde Krijn. ‘Jonas is er weer bovenop!’

Na de soep hielp meester Eibokken Jonas overeind. Eerst stond hij nog een beetje onzeker, maar na een paar stappen kwam de kracht in zijn benen terug. Een half uur later stond hij samen met kapitein Kwadraat bij de zijboord van het schip. Ze hadden tevoren de lengte van De Zilveren Nul opgemeten en die was precies veertig passen. Kapitein Kwadraat haalde zijn horloge tevoorschijn. Jonas pakte het touw waaraan de kegel vastzat.
‘Kijk mee, Jonas,’ vroeg kapitein Kwadraat. ‘Als de secondenwijzer boven staat, gooi je de kegel naast de voorsteven in zee. Dat telt het makkelijkst.’
Toen de kegel in het water dreef merkte Jonas dat het schip een aardig vaartje had. Hij liep met grote stappen met de langsdrijvende kegel mee. ‘Stop!’ riep hij toen het schip de kegel inhaalde.

'Dertig seconden precies,' zei kapitein Kwadraat. Hij schreef het getal op.
'40 passen in 30 seconden, dat maakt 80 passen per minuut. En in een uur zitten 60 minuten, dus dan heeft ons schip een snelheid van 80 x 60 en dat is... 4800 passen per uur. En in een dag zitten 24 uur, dus dat maakt per dag...'

Kapitein Kwadraat schreef een paar getallen op en begon te rekenen.
'115.200 passen. En een zeemijl is 1.850 passen. Eh... tja, dit moet ik even in alle rust uitrekenen. Het is ongeveer 60 zeemijlen per dag, denk ik. Maar ik wil het precies weten, ik ben tenslotte een man van de rekenkunde. Wacht hier, Jonas. Ik kom terug als ik de uitkomst weet.'

Zodra kapitein Kwadraat de kapiteinshut instapte, kwamen er matrozen naar Jonas toe.
'Gelukkig sta je weer rechtop,' zei een oude matroos.
Jonas glimlachte. Toen zag hij Gijsbert voorbij lopen. Jonas stak zijn hand op. Hij wilde vragen hoe het met de roofkatjes ging, maar Gijsbert keek somber voor zich uit en liep zwijgend verder.
'We hebben niet genoeg water voor de dieren,' zei de oude matroos. 'Kapitein Kwadraat heeft bevolen om de zebra's overboord te zetten, want die drinken het meest.'
'Eerst de zebra's en dan de zwijnen,' mompelde Baltus Baltus. 'Gijsbert heeft de kapitein gesmeekt het niet te doen. Hij heeft een dag uitstel gekregen. Als het niet gaat regenen moeten de zebra's morgen overboord.'
'En de zwijnen overmorgen,' zei de oude matroos.
Jonas keek naar de lucht. Die was strakblauw, met hier en daar een schapenwolkje. Wel begon het iets harder te waaien. Jonas fronste. Hij pakte het touw met de kegel en gooi-

de hem opnieuw naast de voorsteven in zee. Dit keer moest hij flink doorlopen om de kegel bij te houden. We varen nu sneller dan daarnet, dacht Jonas. Als ik weet waar we zijn, kan ik uitrekenen hoe lang het duurt voor we bij land aankomen waar we drinkwater kunnen kopen. Hij keek naar Gijsbert, die het dekluik openmaakte. Jonas kon zich niet herinneren dat hij ooit iemand zo treurig zag kijken. En toen Gijsbert omhoog keek en de blauwe lucht zag, werd hij nog treuriger. Jonas slikte.

Hoofdstuk 16
Harde maatregelen

De volgende ochtend moest Gijsbert bij kapitein Kwadraat komen. De matrozen wisten waarom. Die middag zouden de zebra's overboord worden gezet. Als het zou gaan regenen, was er nog een kans. Maar de hemel was stralend blauw en er was geen wolkje te zien.

'Gijsbert,' zei kapitein Kwadraat. 'Er kan nog een wonder gebeuren, maar daar ziet het niet naar uit. Dus bereid je voor op het ergste.'

'Maar als ik zelf vanaf nu helemaal niets meer drink, kapitein,' zei Gijsbert met trillende stem. 'Kan ik dan nog één dag langer uitstel krijgen?'

Kapitein Kwadraat schudde zijn hoofd. 'Gijsbert, je kan niet een week lang zonder drinken. Bovendien: de zebra's drinken elk vier keer zoveel als een mens. Alleen als we allemaal stoppen met water drinken, kunnen de zebra's aan boord blijven. Maar dan is er een grote kans dat dit een dodenschip wordt, en dat we allemaal van dorst sterven. En dan gaan alle dieren ook dood, omdat er niemand meer is om ze te verzorgen. Nogmaals Gijsbert: ik hoop van ganser harte dat het gaat regenen. Maar als dat niet gebeurt, moeten de zebra's overboord, de zee in.'

Heten ze daarom zebra's, hoorde Jonas iemand mompelen. Hij zag dat Gijsbert bijna begon te huilen. 'Ik... ik snap het heus wel,' hakkelde hij. 'Maar het zijn zulke lieve dieren, kapitein.'

Jonas stak zijn hand op. 'We varen nu sneller dan zonet, kapitein. Het is harder gaan waaien.'

'Dat gaan we zo meteen berekenen, Jonas,' zei kapitein Kwadraat. 'Maar eerst gaan we de zon opmeten. Daar is het uitstekend weer voor, helaas. Blijf jij hier, dan haal ik het kwadrant.'

Het opmeten van de stand van de zon ging Jonas steeds beter af. Hij richtte het kwadrant op de horizon en zocht daarna de hoogte van de zon. Op een bewegend schip was dat best lastig, maar Jonas begon er handigheid in te krijgen. Zodra hij de zon goed had gemeten, keek hij naar het getal dat het kwadrant aanwees. Dat getal gaf hij door aan kapitein Kwadraat. Die zocht in zijn boekje naar de datum en zag daarmee hoe ver het schip van de evenaar was.
'We varen inderdaad snel,' zei kapitein Kwadraat. 'Loop mee naar de stuurhut, Jonas. Dan kunnen we op de kaart aankruisen waar we ongeveer zijn.'

In de stuurhut zat kapitein Ierland, met om zijn voet een verband. Kapitein Kwadraat knikte hem vriendelijk toe. Daarna kruiste hij op de zeekaart aan waar het schip ongeveer moest zijn. Jonas keek naar de landen die het dichtstbij waren. Dat waren Spanje en Frankrijk, maar met Spanje was Holland in oorlog en Frankrijk werkte samen met de Spanjaarden. Ierland lag ook niet ver.

Ierland... wat had kapitein Ierland hem daarover verteld? Dat hij in een paar baaien welkom was? Toch?

Jonas keek naar de zuidkant van Ierland. Baai van Bantry, las hij in piepkleine lettertjes. Was dat niet de baai die kapitein Ierland genoemd had?

Jonas keek naar kapitein Ierland en schraapte zijn keel. 'Zei u niet dat de Baai van Bantry voor u een veilige haven is?' vroeg hij.

Kapitein Ierland knikte. 'Voor mij,' zei hij. 'Maar voor jullie niet. In de Baai van Bantry zijn zeerovers de baas. En die zouden dit schip wat graag willen roven.'

Kapitein Kwadraat knikte. 'Het is nog een week varen voor we terug in Holland zijn. Eerder kunnen we nergens terecht. In Engeland wordt kapitein Ierland gearresteerd, in Spanje en Frankrijk wordt ons schip in beslag genomen en in Ierland zijn zeerovers de baas. Dus tja.'

Hij zuchtte.

Jonas voelde de moed in zijn schoenen zinken. Kapitein Kwadraat streek over zijn puntbaardje.

'Gewoonlijk zou ik uit voorzorg de zebra's overboord zetten,' zei hij. 'Maar ik ben zo blij dat Gijsbert zijn draai heeft gevonden. Ik wil hem dit niet aandoen. Alleen als het echt niet anders kan gaan die dieren de zee in.'

De stuurman knikte, maar leek er niet gerust op. 'U neemt een groot risico, kapitein. De wind zit momenteel mee, maar

dat kan anders worden. Niets is zo veranderlijk als de wind.'
Kapitein Kwadraat zei niets en keek in gedachten naar de zeekaart. 'Laten we eerst alles opmeten,' zei hij. 'Dan gaan we daarna uitrekenen hoe lang we bij deze wind nog onderweg zijn. Jonas, ga opmeten hoeveel water er in de vaten zit. Ik wil het precies weten, op de kroes nauwkeurig.'

Terwijl kapitein Kwadraat in de stuurhut uitrekende hoe snel het schip per uur zeilde, goot Jonas met een maatbeker het drinkwater van het ene vat in het andere. Bij elke volle maatbeker zette hij een streepje. Toen het watervat was over geschept, keek hij hoeveel bier er in de ton zat die in de kombuis stond. Ook dat werd nauwkeurig door Jonas afgemeten. Daarna vond hij nog een mand met citroenen, die hij allemaal telde. Ook de zure augurken in de stenen pot werden geteld. Met die lijst ging Jonas naar de stuurhut. Hij dacht dat het meeviel, maar dat klopte niet.
De stuurman schudde zijn hoofd en keek somber. 'Elke dag per matroos een maat water of bier, dat is niet genoeg. Met af en toe een citroen of een zure augurk erbij kan het misschien net aan. Maar dat redden we alleen als we vandaag nog alle dieren overboord zetten. We zijn met vierentwintig man en we hebben voor zes dagen drinken. Eén dag zonder drinken kan. Twee dagen misschien ook, al zullen er dan mannen flauwvallen of duizelig worden. Maar drie dagen kan niet. Dan gaan er mannen bij het werk in elkaar zakken. Die kunnen overboord vallen. Of ze vallen uit de mast op het dek te pletter. En als we de dieren aan boord houden hebben we maar voor drie dagen drinken, terwijl het volgens mij een week varen is naar Holland.'
Kapitein Kwadraat schudde zijn hoofd. 'Dat valt mee. Als we deze snelheid houden komen we er over vijf dagen aan.'
De stuurman zuchtte. 'Ik begrijp uw houding, kapitein.

Maar u brengt uw mannen en uw schip in gevaar. Als de wind zwakker wordt, wat dan? En wat als de wind draait?'
Kapitein Kwadraat beet op zijn lip. 'Jonas, zei hij. 'Jij hebt vanaf nu nog maar één taak. Je houdt per half uur bij hoe snel het schip vaart. Ik geef je mijn horloge en ik zal je de rekensom voordoen, zodat je hem zelf kan maken. Je telt het aantal seconden die het schip nodig heeft om de kegel in te halen. Dit schip is 40 passen lang. Dan reken je uit hoeveel passen het schip in een minuut aflegt. Vanochtend was het 30 seconden voor 40 passen, dat is 80 passen per minuut. Vanmiddag was het 24 seconden voor 40 passen, dat is 100 passen per minuut. En als je dat met 60 vermenigvuldigt, weet je het aantal afgelegde passen per uur. Elke drie uur kom je bij mij om je berekeningen te laten zien. De dieren blijven zolang aan boord. Morgen beslis ik opnieuw.'
De stuurman leek het daar niet mee eens, maar hij zei niets.

Jonas vond de rekensom die hij moest maken lastig. Maar na een paar uur vond hij iets uit. Een minuut, bedacht hij, is altijd 60 seconden. En het schip is altijd 40 passen lang. Als ik die twee getallen met elkaar vermenigvuldig, dan is de uitkomst 2400. Dan hoef ik die 2400 alleen nog te delen door het aantal seconden dat het schip erover doet om de kegel in te halen, en dan heb ik de snelheid per minuut. Toch? Voor alle zekerheid rekende hij het een paar keer op twee manieren uit. De uitkomst van de sommen was elke keer precies hetzelfde. Daarna ging hij naar de stuurhut.
'Blijven we op snelheid?' vroeg kapitein Kwadraat zodra Jonas binnenkwam. Jonas knikte.
'Het scheelt af en toe een seconde, kapitein. De ene keer doet het schip er 23 seconden over en de andere keer 25 seconden. Kijkt u maar op deze lijst. En ik heb een makke-

lijker manier bedacht om de som te maken. Met de staartdeling, die u mij heeft geleerd.'
Toen kapitein Kwadraat de staartdelingen zag, gleed er een trotse glimlach over zijn gezicht.
'Dat zijn lastige sommen, Jonas,' zei hij. 'En ik zie dat ze allemaal kloppen. Deze uitvinding van jou, daar ga ik de heren van de compagnie een brief over schrijven. Die zullen zeker interesse hebben in deze manier om de snelheid van een schip te berekenen. Misschien zit er nog een flinke beloning voor je aan vast!'
'Als het allemaal klopt,' mompelde de stuurman.
Kapitein Kwadraat zette een nieuw kruisje op de zeekaart. 'Als het allemaal klopt, zijn we nu hier,' zei hij.
Jonas keek op het horloge. 'Ik moet weer meten, kapitein.'

Een paar matrozen werden nieuwsgierig naar wat Jonas aan het doen was. Hij legde het uit, maar ze begrepen het niet meteen.
'Als je in 25 seconden 40 passen vaart, dan vaar je toch 160 passen per minuut,' zei een matroos. 'Want 4 x 25 = 100.'
Jonas moest daarover nadenken. 'Een minuut is niet 100 seconden,' zei hij. 'Een minuut is 60 seconden.'
'Nou dat weer,' zei de matroos. 'Waarom is dat eigenlijk zo? Het is toch veel handiger om alles met honderd te doen? Dat een minuut 100 seconden is en een uur 100 minuten?'
Jonas wist niet goed wat hij daarop moest zeggen. 'Het is nu eenmaal zo,' zei hij. Hij haalde zijn schouders op. 'Ik weet niet waarom.'
'Dan weet je ook niet of die sommen kloppen,' zei de matroos. 'En als ze niet kloppen, wat dan?'
Jonas kreeg het benauwd. Hij begon nu ook te twijfelen en was blij dat Gijsbert erbij kwam staan.

'Gaan we nog steeds snel genoeg?' vroeg Gijsbert. Jonas hoorde zijn stem trillen.
'Tot nu toe gaat alles goed,' antwoordde Jonas.
'Als de berekeningen kloppen,' zei de matroos weer. 'En dat weten we niet. Jonas zegt dat er in een minuut 60 seconden

zitten, maar hij weet niet waarom. Dus misschien is het niet zo.'
'Misschien varen we veel langzamer dan hij uitrekent,' zei een kale. 'En dan gaan we straks dood van de dorst.'
'Of we gaan juist sneller,' zei Gijsbert hoopvol. 'Dat kan natuurlijk ook.'
Hier hadden de matrozen niet van terug.
'Nou ajuus,' zeiden ze. 'We gaan weer aan het werk. Met jullie valt niet te praten.'

De volgende dag bleef het schip snel varen, maar de stemming aan boord werd gespannen. De matrozen leden allemaal dorst en werden steeds humeuriger.
'Waarom gaan die zebra's niet overboord?' vroeg Jabik Veenbaas luid. 'Moet je kijken wat die beesten zuipen! Een emmer water per dag, en wij krijgen een halve kroes.'
'Waarom overboord,' vroeg de matroos met het kale hoofd. 'We kunnen ze toch slachten? Dan eten we zebrabiefstuk.'
Gijsbert werd bleek toen hij dat hoorde. Jonas zag dat hij gauw het ruim indook en het dekluik van binnen vergrendelde. Nu keerden een paar matrozen zich tegen Jonas.
'Wat sta jij nou eigenlijk te doen? Met die kegel en die cijfertjes van je? Sta je ons in de maling te nemen?'
'Je kan helemaal niet weten hoe snel een schip vaart,' zei een ander. 'Daar kan je alleen maar naar gissen. En om dat goed te doen moet je jarenlang op zee hebben gevaren. Een snotneus als jij kan dat niet. Je staat ons gewoon te bedonderen, met je hocus-pocus.'

Dit ging zo nog een hele tijd door. Jonas werd er naar van, maar probeerde dat niet te laten merken. Dat kostte steeds meer moeite. Het was een stralende dag en de zon maakte de mannen nog dorstiger. Jonas werd uitgefoeterd voor beestenvriend en verrader van matrozen.
'Je had hem niet moeten redden, Jabik,' zei een matroos met schorre stem. 'Nu gaan we er allemaal aan, dankzij jou.'
Jonas voelde tranen opkomen toen hij dat hoorde. Vorige week hadden de matrozen nog gejuicht toen hij bij kennis kwam. En nu...

Zelf had Jonas ook last van dorst. Zijn keel voelde rauw en zijn mond was zo droog, dat hij zijn eten niet kon kauwen. Af en toe voelde hij zich slap en duizelig en moest hij zich even vasthouden om niet om te vallen. De zon ging bloedrood onder en dat voorspelde niet veel goeds. Het zou morgen opnieuw een stralende dag worden. Nog meer dorst, dacht Jonas. Morgenochtend zouden de laatste kroezen water worden uitgedeeld. Daarna was er geen druppel drinken meer aan boord. Volgens de berekeningen moesten ze overmorgen laat in de middag het eiland Walcheren in zicht krijgen. Dan waren ze vlak bij Vlissingen, met zijn veilige haven.
Jonas zuchtte en probeerde de droogte van zijn mond niet te voelen. Dat lukte niet. Telkens als hij slikte voelde hij een scherpe pijn in zijn keel. Het was alsof iemand er met een handvol naalden instak. Hij keek op het horloge, dat tien uur aanwees. Nog vierenveertig uur, dacht Jonas. Dan moet het eiland Walcheren in zicht komen. En zo niet...

Hoofdstuk 17
Het eind van de reis

De nacht ging liep ten einde. Zolang het donker was had Jonas rustig zijn werk kunnen doen. Zodra de zon opkwam was dat afgelopen. IJsbrandt deelde de laatste kroezen water uit. De matrozen waren uitgedroogd. De meesten goten het water in één keer achterover. Anderen dronken langzaam, maar niemand keek voldaan toen zijn kroes leeg was.

'Dat was het laatste?' vroeg een matroos met schorre stem aan IJsbrandt.

Die knikte. Daarna liep hij met een halve emmer water naar het benedendek. Dat was voor de dieren, begreep Jonas. De matrozen begrepen dat ook. Ze trokken IJsbrandt de emmer uit zijn handen.

'Eerst de mensen, dan de dieren,' grauwde de matroos. 'Dat is de wet.'

Meester Eibokken kwam tussenbeide. Hij nam de matroos met zijn machtige armen in een klemgreep en drukte hem tegen de mast. 'Dat water is voor de dieren,' zei hij. 'Orders van kapitein Kwadraat. De kapitein die jullie rijk heeft gemaakt. Die jullie meerdere malen van de dood heeft gered. Of zijn jullie dat alweer vergeten?'

Hier waren de matrozen even stil van. Ze knikten en keken elkaar aan. 'Meester,' sliste een oude matroos die zijn voortanden miste. 'Kan u die metingen niet doen? Die jongen doet het, maar daar hebben wij geen vertrouwen in.'

Meester Eibokken schudde zijn hoofd. 'Die jongen heeft dit bedacht,' zei hij. 'Hij en kapitein Kwadraat zijn de enigen die dit snappen. Ik kan het niet.'

'Maar hij ook niet,' zei de andere matroos hoestend. 'Hij weet niet waarom een minuut 60 seconden heeft. Dat zegt hij zelf.'
Toen meester Eibokken hem aankeek, zei Jonas: 'Een minuut heeft 60 seconden. Ik weet niet waarom. Maar het is wel zo.'
Meester Eibokken knikte. 'Je hoort het,' antwoordde hij. 'Hij weet niet waarom, maar het is wel zo.'
De matroos keek Jonas donker aan. 'Morgenmiddag in Vlissingen,' zei hij. 'En zo niet...'
Hij maakte zijn zin niet af, maar draaide zich om en ging op een rol touw zitten.
Jonas slikte, wat veel pijn deed. Hij liep naar de voorsteven om zijn kegel weer in het water te gooien. Hij voelde zich opeens heel moe. Vorige week waren alle matrozen op mijn hand, dacht hij. Alleen Gijsbert niet. Nu zijn ze allemaal tegen mij. Behalve Gijsbert en meester Eibokken. En Lommert, die ook niet.

Hij gooide de kegel in het water en liep mee toen die langs het schip dreef. 40 passen in 21 seconden We zeilen steeds sneller, dacht Jonas. Maar hij was niet vrolijk. Als de berekeningen nu maar klopten. Want anders...

124 Een dag later deelde IJsbrandt 's ochtends pekelvlees uit. De meeste matrozen gooiden het over de zijboord in zee.
'Kunnen niet kauwen,' zeiden ze met moeite. 'Monden droog. Pijn. Kunnen niet slikken. Alles pijn.'
Jonas at zijn pekelvlees ook niet op. Zijn keel voelde droog als leer, hij hijgde en in zijn hoofd suisde het.
Ook kapitein Kwadraat at zijn vlees niet op. Dat deed de oudere matrozen goed.
'Samen ten onder,' mompelden ze tegen elkaar. Maar de jonge mannen raakten daardoor in paniek.
'Ik wil niet sterven,' schreeuwde er een met rauwe stem. 'Bloed! Bloed kan je drinken! Bloed van dieren. Bloed van Ieren! Bloed drinken!'
Jonas dacht dat hij droomde. Hij draaide zijn hoofd naar de tierende matroos, maar alles voor zijn ogen begon te draaien. Hij greep zich vast en liet zich langzaam op het dek zakken.
'Hou hem tegen!'
De stem van Lommert, dacht Jonas. Lommert is vlakbij.
'Hij is gek geworden!'
'Hij is niet gek,' kreunde een ander. 'Hij heeft gelijk! Bloed kan je drinken!'
Jonas hoorde voetstappen.
De stem van kapitein Kwadraat. 'Drink dan mijn bloed,' zei hij schor. 'Meester Eibokken, pak je doktersmes. Wie mijn bloed wil drinken krijgt het.'
'Maar kapitein,' zei meester Eibokken. 'Dat kunt u niet...'

‘Pak je mes, dit is een bevel!’
De stem van kapitein Kwadraat klonk krakend en hees.
‘Maar...’
Toen klonk vanuit het kraaiennest een rauwe brul.
‘Land in zicht! De vuurtoren...’
Even was het stil. Uit de mast klonk een droge hoest.
‘... van Vlissingen!’

Jonas bleef liggen, maar het lukte hem om zijn ogen open te doen. Verderop lag Krijn, languit op het dek. Hij zag de benen van meester Eibokken. Die liep naar matrozen die niet meer konden staan en praatte ze moed in.
‘Rustig blijven liggen.’
‘Over twee uur is er water.’
‘Hou je stil en geef niet op. Hoor je dat? Niet opgeven.’
‘Alles komt goed.’
‘We zijn er bijna.’

Een paar uur later voelde Jonas dat zijn hoofd werd opgetild. Hij kreeg een natte spons in zijn mond.
‘Langzaam zuigen,’ zei meester Eibokken. ‘Met een uurtje ben je weer op de been.’
Jonas hoorde dat hij dat ook tegen anderen zei. Hij voelde fris drinkwater zijn mond inlopen. Dat water zo lekker is, dacht hij. Nooit geweten.
‘Dat water zo lekker is,’ zei Krijn. ‘Nooit geweten.’
Jonas grinnikte.
‘Hé Jonas,’ fluisterde Krijn. ‘Leef je nog?’
‘Ja,’ zei Jonas. ‘Ik leef nog.’

Toen het al donker was, zaten de matrozen in een kring op het dek. Iedereen had een deken om zijn schouders.

Iedereen at soep. Naast Jonas werd gefluisterd.
'Wie schreeuwde er dat hij bloed wilde drinken?'
'Niemand,' was het antwoord. 'Vergeet dat, zo snel mogelijk. Als mensen in paniek zijn doen ze rare dingen. Daar moet je niet op terug komen.'
'Ja,' zei de ander. 'Misschien was ik het zelf wel.'
Jonas keek naast zich, maar in het donker kon hij niet zien wie er fluisterden.
'Mannen,' zei kapitein Kwadraat opeens. 'Ik bied jullie mijn verontschuldigingen aan. Het is goed afgelopen, maar ik heb jullie in groot gevaar gebracht. Dat zal niet nog een keer gebeuren. Dat beloof ik jullie.'
De matrozen mompelden.
'En dan gaan we nu slapen,' zei meester Eibokken. 'Ik ga vannacht nog een keer met bekers water langs. Jullie zijn nog steeds uitgedroogd, ook al denken jullie van niet. Morgen vroeg gaan we naar Texel en daarna naar Amsterdam, dan moeten jullie fit zijn.'

Kapitein Ierland stak zijn hand op.
'Ik vaar graag van hier naar Ierland terug,' zei hij. 'In Amsterdam is het voor mij niet veilig. Is het goed als ik morgen vroeg afscheid neem?'
Kapitein Kwadraat stond op. Hij gaf kapitein Ierland een hand en zei dat hij het een eer vond om met hem gevaren te hebben.
'Morgen eten we samen een laatste ontbijt. En doen we een toost op de toekomst. En ik hoop dat het u verder goed mag gaan.'
Kapitein Ierland was hierdoor duidelijk ontroerd. Hij knikte, zuchtte diep en zei: 'Dan wens ik u allen voor nu welterusten.'

Twee dagen later kwam De Zilveren Nul aan in de haven van Amsterdam. Daar stond koopman Vingboons, de opdrachtgever, op hen te wachten. Voor elke matroos had hij een zakje munten en een pond suikerbeestjes.
'Het geld is voor jullie vrouwen, de beestjes zijn voor jullie kinderen,' zei hij. Daarna praatte hij kort met kapitein Kwadraat.
'Gijsbert Dirkson,' zei koopman Vingboons plechtig. 'Wil Gijsbert Dirkson naar voren stappen?'
Gijsbert bleef staan, maar werd door Jabik naar voren geduwd.
'Ik hoor veel goede dingen over jou,' zei koopman Vingboons. 'Dat we het aan jou te danken hebben dat de dieren goed zijn overgekomen, bijvoorbeeld. Daarom mijn vraag: wil jij de hoofdoppasser van mijn dierentuin worden? En wil je mij helpen om de dieren naar mijn nieuwe dierentuin te brengen?'
'Of wil je dat ik je op Texel afzet, zoals we op de heenreis

hebben afgesproken,' zei kapitein Kwadraat grinnikend.
Gijsbert knikte naar de koopman, waarop de matrozen in hun handen klapten. Pas toen Gijsbert en koopman Vingboons wegliepen, draaiden ze zich naar Jonas.
'Excuses, jongen,' zei een oude matroos. 'We hebben te weinig vertrouwen in je gehad. Dat zal ons niet nog een keer gebeuren. Nietwaar, mannen?'

De matrozen bromden instemmend. 'Goed gedaan,' zei Lommert Knoest. 'Maar volgende keer graag een beetje minder spannend. We willen niet graag nog een keer zo in de zenuwen zitten. Beloofd?'
Jonas glimlachte. Maar het was nog niet klaar. Later die middag kwam een deftig geklede man aan dek. Hij werd verwelkomd door kapitein Kwadraat, die meteen naar Jonas wees.
'Zo,' zei de meneer, die Blaeu heette. 'Dus jij bent ons nieuwe rekenwonder. Jonas Sprenkeling. Ik heb van je kapitein gehoord wat je ontdekt hebt. En ik wil je vragen of je een reis wilt maken naar de Oostzee. Daar heb ik mijn zoon Willem naartoe gestuurd. Hij is daar in de leer, omdat hij zeekaarten en wereldbollen wil maken. Hij zal een hulp als jij graag willen hebben. Maar wil je dat?'
Jonas wist niet goed wat hij zeggen moest en keek naar kapitein Kwadraat. Die knikte hem bemoedigend toe. 'Ik ga je graag brengen,' zei hij. 'Want ik wil ook meer weten over zeekaarten en wereldbollen.'
Jonas glimlachte. 'Dan doe ik het,' zei hij tegen meneer Blaeu.